Am 22. Januar 1979 wird der 250. Geburtstag eines Mannes gefeiert, der als der erste moderne Autor der deutschen Literatur gilt, dessen klares und waches Denken, dessen treffende Sprache und dessen Toleranzidee noch heute beispielhaft sein können: Gotthold Ephraim Lessing. Zu diesem Anlaß erscheint nun eine genaue chronikalische Übersicht über Lessings Leben und Werk. Bei der Arbeit an dieser Chronik wurde unmittelbar deutlich, was man schon immer vermutete: Lessing nahm sich als Person stets zurück, der Bereich des Privaten und Persönlichen bleibt selbst in den meisten seiner Briefe ausgeklammert und ist nur anhand weniger Dokumente zu rekonstruieren. Um so wichtiger ist eine Auswertung dieses Materials, denn es zeigte sich auch, daß hinter aller Sachbezogenheit Lessingscher Äußerungen eine Person stand, die an sich selbst, an der Zeit und ihren Verhältnissen außerordentlich gelitten und dieses Leiden erst in einem mühsamen Arbeitsprozeß produktiv verwandelt hat. So wird diese Chronik nicht nur zu einem Abriß der erfolgreichen Laufbahn Lessings als Dramatiker, Literaturkritiker und Wissenschaftler, sondern auch zur bestürzenden Dokumentation eines fünfzig Jahre anhaltenden existentiellen Kampfes, an dessen Ende Lessing, nach dem Tod seines Sohnes schreibt: »Ich wollte es auch einmal so gut haben wie andere Menschen. Aber es ist mir schlecht bekommen.«

Der Autor:

Gerd Hillen: geb. 1935 in Ehren, Kreis Cloppenburg; studierte Germanistik und Anglistik in München, Southampton und Hamburg. 1961/63 Lektor für deutsche Literatur an der Universität Hong Kong (BCC); 1965 Promotion (Stanford University); z. Z. Professor of German, University of California, Berkeley. Veröffentlichungen zur deutschen Literatur des 17. und 18. Jahrhunderts; Mitarbeit an der 8-bändigen Lessing-Ausgabe (Hanser); Mitherausgeber des Lessing Yearbook.

LESSING CHRONIK

Daten zu Leben und Werk

Zusammengestellt von Gerd Hillen

Mit Abbildungen

Carl Hanser Verlag

ISBN 3-446-12694-5

Umschlagabbildung:
Lessing, Gemälde von Anton Graff um 1770
mit freundlicher Genehmigung
der Herzog August Bibliothek, Wolfenbüttel
Umschlag: Klaus Detjen
Gesamtherstellung: Appl, Wemding
Printed in Germany

Vorbemerkung

Es ist kein unglücklicher Zufall, daß sich in Lessings Nachlaß keine Tagebücher fanden, denn er hat keine geführt. Das sogenannte Tagebuch seiner italienischen Reise ist eine Sammlung gelehrter Anmerkungen, Material für einen nicht mehr geschriebenen weiteren Band Antiquarischer Briefe, in denen der Bereich des Persönlichen und Privaten ausgeklammert bleibt. Hier, wie in seinem literarischen Werk wird der Autor direkt nur als Intellekt, schwer als Person faßbar. Obgleich Freunde und Gegner die Vorbilder zu einigen seiner dramatischen Figuren liefern, spricht Lessing nie von sich selbst. Angesichts der literarischen Selbstaussage im ausgehenden Barock, aber auch schon bei Fleming, wäre es verfehlt, darin ein Novum zu sehen, das erst mit der auf Lessing folgenden Generation in Erscheinung träte: Auch vor der Goetheschen gibt es Bruchstücke, wenn auch kleinerer Konfessionen. Daß sie bei Lessing fehlen, entspricht nicht nur seinem poetologischen Konzept, sondern auch seinem Charakter. Er beobachtet mit bemerkenswerter Konsequenz die gleiche Zurückhaltung in seinen Briefen. Zum Ärger seiner Biographen ist jede schriftliche Äußerung Lessings, ob an eine anonyme Öffentlichkeit oder an seine Braut gerichtet, auf ihren Empfänger bezogen. Über seine Triumphe schweigt er, und in den seltenen Fällen, wo das Unerträgliche seine Sätze diktiert, bricht er rasch ab, oder er entschuldigt sich anschließend und versucht, das Gesagte zu verharmlosen. Das bedingt die Relativierung der wichtigsten Quellen jeder Lessing-Biographie: seiner Korrespondenz.

Seine Vita bleibt deswegen weitgehend auf die dokumentierbaren Wechselfälle einer Schriftstellerexistenz im 18. Jahrhundert beschränkt; sie hat ihre Höhepunkte: der 19jährige Student erlebt die erfolgreiche Aufführung seines dramatischen Erstlings, der 25jährige Philologe, »etwas mehr als ein bloßer Student« und »etwas weniger als ein Prediger«, stürzt das angesehene Haupt der Halleschen Dichterschule; der 30jährige Journalist verweist den Literaturkrieg Leipzig-Zürich, der zwanzig Jahre lang die literarische Szene beherrschte, in den Bereich des nicht mehr Aktuellen. Kulturelle Zentren wie Dresden, Wien, Hamburg und Mannheim machen ihm Offer

ten, während seine Berliner Freunde bemüht sind, ihn für die preußische Hauptstadt zu gewinnen.
Aber die glanzvollen Möglichkeiten erweisen sich als eine Kette von Enttäuschungen. Inwieweit Lessings, nach den bitteren Berliner Erfahrungen kompromißlose Weigerung, Konzessionen an sein eher absolutistisches als aufgeklärtes Zeitalter zu machen, zu seiner Misere beigetragen hat, läßt sich nicht immer klar abschätzen. Offensichtlich ist nur, daß zunehmendes Alter, wachsende Verbitterung und die Isolation, die Wolfenbüttel für ihn bedeutete, die Entstehung seiner bedeutendsten Werke nicht verhindert haben.
Die vorliegende Chronik stützt sich in erster Linie auf Lessings Korrespondenz, zitiert nach den entsprechenden Bänden der Lachmann-Munckerschen Ausgabe. Zur Entstehungsgeschichte seiner Werke wurden darüber hinaus Munckers Anmerkungen und die kritischen Apparate der Gesamtausgaben von Hempel, Petersen/Olshausen und Göpfert benutzt. Der biographische Teil wurde aus älteren Darstellungen ergänzt, insbesondere aus den Werken von K. G. Lessing (1793), Th. W. Danzel und G. E. Guhrauer (1880-81), H. Düntzer (1882), E. Schmidt (1899) und W. Oehlke (1919). Für die ungemein aufschlußreichen Berichte von Freunden und Zeitgenossen ist diese Arbeit der mustergültigen Sammlung von R. Daunicht, *Lessing im Gespräch* (1971) verpflichtet, über zahlreiche weitere Abhängigkeiten informiert die Bibliographie. Für kompetente Hilfe bei der Zusammenstellung des Manuskripts bedanke ich mich bei Frau Gabriele May.

Berkeley, August 1978 *Gerd Hillen*

Abkürzungen der zitierten Ausgaben

(S. auch Literaturverzeichnis am Schluß des Bandes)

D	Daunicht, Richard: Lessing im Gespräch. Berichte und Urteile von Freunden und Zeitgenossen. München: Fink 1971
KG	Gotthold Ephraim Lessings Leben, nebst seinem noch übrigen litterarischen Nachlasse. Hrsg. von K. G. Lessing. Erster Theil. Berlin: Voß 1793
LM	Gotthold Ephraim Lessings sämtliche Schriften. Hrsg. von Karl Lachmann. Dritte, aufs neue durchgesehene und vermehrte Auflage, besorgt durch Franz Muncker. Stuttgart, Berlin, Leipzig: Göschen 1886-1919
W	Winckelmanns Briefe. Hrsg. von F. Förster. Berlin 1824
S	Schneider, Heinrich: Lessing. Zwölf biographische Studien mit vier Tafeln. Bern: Francke 1951

1729

22. Januar: Gotthold Ephraim Lessing wird als drittes Kind des Archidiakons Johann Gottfried Lessing in Kamenz in der kursächsischen Oberlausitz geboren.
Der Vater (1693-1770), Sohn des Kamenzer Bürgermeisters Theophilus Lessing (1647-1735), hatte in Wittenberg Theologie und Philosophie studiert. L.s Bruder und späterer Biograph Karl Gotthelf berichtet: »Gleich im ersten Jahre seines akademischen Lebens vertheidigte er *Planeri novam sententiam de affectibus,* und hielt die folgenden Jahre noch mehrere Disputationen. In dieser Art von gelehrten Streiten erwarb er sich solchen Beyfall, daß ihm der damalige Dekanus Brendel umsonst die Magisterwürde antrug.« (KG 6). – Auf Grund einer anläßlich des 200jährigen Jubiläums der Reformation verfaßten Schrift, *Vindiciae Reformationis Lutheri a nonnullis novatorum Praejudiciis,* wird er am 8. Dezember 1718 als Prediger nach Kamenz berufen. 1720 veröffentlicht er eine von ihm verfaßte Sammlung von Kirchenliedern, *Sonderbare Hausandacht.* 1721 tritt er sein Amt an, wird drei Jahre später zum Diakon befördert und heiratet am 16. Januar 1725 Justina Salome Feller (1703-77), die Tochter des Pastor Primarius Gottfried Feller (1674-1733). – Von L.s älteren Geschwistern stirbt Johann Gottfried 1725, wenige Tage nach der Geburt; seine Schwester Dorothea Salome, 1727 geb., hat ihn überlebt (1803 gest.).
24. Januar: L.s Taufe in St. Marien in Kamenz durch den Großvater Gottfried Feller.

1730

Johann Christoph Gottsched (1700-66), 1724 vor den Soldatenwerbern Friedrich Wilhelm I. von Königsberg nach Leipzig geflohen, wird Professor der Poesie an der Universität Leipzig. Im gleichen Jahr erscheint sein *Versuch einer critischen Dichtkunst vor die Deutschen,* die erste Poetik der Aufklärungsperiode.

1731

18. Januar: Das vierte Kind, Friedrich Traugott, geboren. – J. C. Gottsched veröffentlicht die erste »regelmäßige« deutsche Tragödie, *Sterbender Cato.*

1732

10. November: Das fünfte Kind, Johann Theophilus, geboren.

1733

26. Februar: Pastor Primarius Feller stirbt. Johann Gottfried Lessing wird Amtsnachfolger seines Schwiegervaters; die Familie zieht ins Pfarrhaus von St. Marien um. Jahreseinkommen: 1000 Taler.

1734

26. April: Der dreijährige Friedrich Traugott stirbt.
16. Dezember: Das sechste Kind, Friedrich Traugott, geboren.
L. erhält seinen ersten Unterricht, »vornehmlich im Christenthum«, von seinem Vater; später auch von Christlob Mylius, einem seiner Vettern. (KG 28).

1735

L wird zusammen mit seinem Bruder Theophilus gemalt; auf seinen Wunsch nicht mit einem Vogelkäfig, sondern mit einem Buch. Das Bild stammt vermutlich von dem Zeichenlehrer Christian Gottlob Haberkorn.
12. Dezember: Das siebte Kind, Gottfried Benjamin, geboren.

1736

22. März: L.s spätere Frau, Eva Katharina Hahn, in Heidelberg geboren.

3. August: L.s Bruder Friedrich Traugott stirbt.

1737

L besucht die öffentliche Stadtschule in Kamenz. Johann Gottfried Heinitz (1712-1790) ist Rektor der Anstalt.

30. April: L.s Vater wendet sich in einem Schreiben an den Kurfürsten Friedrich August von Sachsen, »mit allerdemüthigster Bitte als ein ehemals auf Dero Universität Wittenberg gewesener Stipendiate, diese hohe Landes-Väterliche Gnade auch auf meinem ietztlebenden ältesten Sohn Gotthold Ephraim Leßing hierinne allergnädigst kommen zu laßen, daß derselbe nach vorhergegangener Prüfung in Deroselben florirenden Churfürstlichen Land Schule Meißen als ein Alumnus mit einer freyen Kost-Stelle allergnädigst möge versorget werden.« Der Antrag wurde durch das Oberkonsistorium in Dresden genehmigt. (D 3).

1739

23. Januar: Geburt des achten Kindes Gottlob Samuel (gest. 1803).

1740

10. Juli: Das neunte Kind, Karl Gotthelf, der spätere Herausgeber von L.s literarischem Nachlaß und sein erster Biograph, geboren (1812 gest.).

Von Johann Jakob Bodmer (1698-1783) erscheint die *Critische Abhandlung von dem Wunderbaren in der Poesie* und, im gleichen Jahr, *Critische Dichtkunst* von Johann Jakob Breitinger (1701-1776); Beginn der literarischen Fehde zwischen den Züricher Kritikern und Gottsched und seinen Anhängern.

16. Dezember: Mit dem Einmarsch preußischer Truppen in Schlesien beginnt der erste schlesische Krieg.

1741

Durch seinen Onkel, den Pfarrer Johann Gotthelf Lindner in Putzkau, wird L für die Aufnahmeprüfung der Fürstenschule St. Afra in Meißen vorbereitet.

21. Juni: L reist in Begleitung seines Vaters nach Meißen. Zur Aufnahme hat er einen deutsch diktierten Aufsatz ins Lateinische zu übersetzen und sich einer Prüfung in Griechisch, Religion und Mathematik zu stellen. Auf Grund seiner Leistungen wird ihm die zwölfte Dekurie (das erste Dritteljahr) erlassen.

Im Lehrprogramm der Anstalt nahmen religiöse Unterweisung und der Lateinunterricht (15 Wochenstunden) den breitesten Raum ein, Griechisch war mit vier, Hebräisch mit drei Wochenstunden vertreten, Französisch, Rhetorik, Mathematik, Geschichte und Erdkunde mit jeweils zwei Wochenstunden. – Karl Gotthelf, selber ein St. Afra-Zögling, konnte sich in seinem Kommentar auf eigene Erfahrungen stützen: »Man bekümmerte sich weder um die Armseligkeiten der großen noch der kleinen Welt; redete mehr von Griechenland und Latium als von Sachsen; sprach mehr Lateinisch als Französisch; betete sehr viel, schwärmte aber doch sehr wenig, und, wer mehr vom Studiren als vom Beten hielt, studirte ohne zu beten. Freylich mußte er die Vorsicht gebrauchen, sich auf keiner solchen Sünde ertappen zu lassen.« (KG 31).

Mit größerer Anerkennung hat sich L über seine Afraner Zeit geäußert, ihr verdanke er es, wenn ihm etwas Gelehrsamkeit und Gründlichkeit zuteil geworden; und 1754 schreibt er: »Theophrast, Plautus und Terenz waren meine Welt, die ich in dem engen Bezircke einer klostermäßigen Schule, mit aller Bequemlichkeit studirte.« (Vorrede zum 3. Teil seiner *Schrifften,* Berlin 1754, LM V, 268).

21. September: Mit der Ermahnung, »sein schmuckes Äußere nicht durch vorlautes und freches Wesen zu beflecken«, wird L in die 10. Dekurie versetzt. (D 9).

13. Oktober: Das zehnte Kind, Erdmann Salomo Traugott, geboren.

1742

Ostern: L wird in die neunte Dekurie versetzt: »Er ist nicht unbedeutend begabt, bedarf aber strenger Leitung«, heißt es in seiner Beurteilung. (D 9).

29. September: Versetzung in die achte Dekurie: die »Zensur« erwähnt große Geistesgaben und Anzeichen von Nachlässigkeit.

November: L erhält auf vier Jahre eine Freistelle in St. Afra (Stiftung der Familie von Carlowitz).

Dezember: L schickt seinem Vater eine »Glückwunschrede, bei Eintritt des 1743. Jahres, von der Gleichheit eines Jahres mit dem anderen«, in der er die Meinung des Vaters, die Zeiten verschlimmerten sich ständig, zu widerlegen sucht.

1743

Ostern: Versetzung in die siebte Dekurie; L verbringt die Osterferien bei seinen Eltern in Kamenz.

22. September: Tertianer und Sekundaner, unter ihnen L, protestieren gegen das knappe und schlechte Essen.

29. September: Versetzung in die sechste Dekurie; seine Beteiligung an der »Küchenrevolution« trägt ihm einen Tadel ein. Als einem der »ersten zwölf Schüler« der Anstalt wird L die Aufsicht über jüngere Mitschüler anvertraut. (KG 41).

30. Dezember: Ältester erhaltener Brief L.s: eine spitze Epistel an seine Schwester Salome, die seine Briefe nicht beantwortet: »entweder Du kanst nicht schreiben, oder Du wilst nicht schreiben. Und fast wolte ich das erste behaupten. Jedoch ich will auch das andre glauben; [...] Beydes ist straffbahr. [...] Schreibe wie Du redest, so schreibst Du schön.«

1744

Ostern: Versetzung in die fünfte Dekurie; ungemein positive Beurteilung durch den Konrektor Hoere: »Glänzt durch Geistesschärfe und ausgezeichnete Gedächtnisstärke, auch strebt er nach sittlich würdigem Betragen.« (D 14).
Als die Schülerinspektoren zu spät zu einer Lehrerkonferenz

erscheinen, trägt L.s Schlagfertigkeit ihm den Spitznamen »der Admirable« ein.
Durch seinen Lehrer Albert Klimm gefördert, intensiviert L seine mathematischen Studien. Er übersetzt mehrere Bücher des Euklid und befaßt sich mit der Geschichte der Mathematik. Vermutlich auf Anregung Klimms beginnt L, Englisch und Französisch zu lernen, und durch ihn gewinnt er Zugang zu gelehrten Zeitschriften und damit zur zeitgenössischen Literatur: zur Hallischen Anakreontik [Immanuel Jakob Pyra (1715-44), Samuel Gotthold Lange (1711-1781) und Wilhelm Ludwig Gleim (1719-1803)] und zur Lehrdichtung Albrecht von Hallers (1708-1777).

August: Beginn des zweiten schlesischen Krieges zwischen Österreich und Preußen.

29. September: Versetzung in die vierte Dekurie; Konrektor Hoeres Beurteilung erwähnt »hervorragende Geistesgaben« und »häufige, auch geometrische Arbeiten«. (D 14).

21. Dezember: Geburt der Zwillinge Sophie Charitas (gest. 16. 5. 45) und David Gottlieb (gest. 8. 2. 45).

1745

Ostern: Versetzung in die letzte Klasse, dritte Dekurie; L wird ermahnt, die Stilübungen nicht zu vernachlässigen.
Erste poetische Versuche: anakreontische Lieder, ein Lehrgedicht »über die Mehrheit der Welten«, das unvollendet bleibt, weil L »einige Zeit darauf [...] die Gespräche des Herrn von Fontenelle [*Entretiens sur le pluralité des mondes*, 1686] in die Hände« bekommt. (LM V, 67).

April, zweite Hälfte: L verbringt die Osterferien in Kamenz.

9. September: Auf die Rede eines Mitschülers über das hohe Alter der Urväter antwortet L in deutschen Versen über das Glück eines kurzen Lebens.

29. September: In der Michaelis-Zensur schreibt Theophilus Grabener (1685-1750), der Rektor der Anstalt: »Es gibt keine Art von Wissenschaft, die der lebhafte Geist dieses Schülers nicht aufgriffe, so daß er bisweilen gezügelt werden muß, sich nicht über Gebühr zu zersplittern.« (D 19).

4. Oktober: Franz I., der Gemahl Maria Theresias, wird in Frankfurt/M. zum Kaiser des Hl. Röm. Reiches gekrönt.

9. Dezember: Meißen wird von preußischen Truppen belagert.

13. Dezember: Preußische Truppen unter dem Alten Dessauer besetzen Meißen; in St. Afra werden Verwundete einquartiert.

15. Dezember: Die Preußen siegen bei Kesselsdorf über eine sächsisch-österreichische Armee.

Dezember: L entwirft auf Bitten seines Vaters ein Gedicht auf seinen Gönner von Carlowitz. – Erster nicht erhaltener Entwurf von L.s erstem Drama: *Der junge Gelehrte.*

1746

16. Januar: Zur Weihnachtsfeier der Schule, die wegen der Kriegshandlungen verschoben worden war, hält L eine Rede in lateinischer Prosa »De Christo, Deo abscondito«.

1. Februar: Trotz deutlich spürbaren Widerwillens verspricht L seinem Vater, das »Gedicht an Karl Leonhard von Carlowitz über die Schlacht von Kesselsdorf« zu kürzen und zu verbessern. Er schreibt weiter: »Sie betauern mit Recht das arme Meisen, welches jezo mehr einer Toden Grube als der vorigen Stadt ähnlich siehet [...] Es sieht aber wohl in der ganzen Stadt [...] kein Ort erbärmlicher aus als unsere Schule. Sonst lebte alles in ihr, jezo scheint sie wie ausgestorben. Sonst war es was rares, wenn man nur einen gesunden Soldtaten in ihr sahe, jezo sieht man ein Hauffen verwundete hier.« – Er bittet seinen Vater, in seine vorzeitige Entlassung aus der Schule einzuwilligen.

9. März: L hält in St. Afra eine öffentliche Rede zum Thema »Was in kirchlichen Angelegenheiten im Jahre 1535 geschehen ist«.

Ostern: Versetzung in die erste Dekurie: Rektor Grabener bestätigt seinem Zögling Talent zu jeder Art von Gelehrsamkeit und eine »keineswegs rauhe, obwohl ziemlich feurige Gemütsart«. (D 22).

Frühjahr: L.s Vater erhält von Rektor Grabener folgenden Kommentar über seinen Sohn: »Es ist ein Pferd, das doppeltes Futter haben muß. Die Lektiones, die andern zu schwer werden, sind ihm kinderleicht. Wir können ihn fast nicht mehr brauchen.« (KG 40).

28. April: L.s Vater wendet sich an den Kurfürsten mit der Bitte, seinen Sohn vorzeitig aus der Schule nehmen zu dürfen. L hatte mit der Versetzung in die erste Dekurie zwei Drittel des jeweils aus drei Dekurien bestehenden Schuljahrs absolviert.

8. Juni: Der zweite Antrag des Vaters wird durch das Oberkonsistorium in Dresden genehmigt.

30. Juni: Mit einer lateinischen Rede »De Mathematica barbarorum« verabschiedet sich L von St. Afra.

August, erste Hälfte: L besucht auf »einige Wochen« seine Eltern in Kamenz.

20. September: Mit einem Stipendium der Stadt Kamenz läßt sich L, den Wünschen seiner Eltern entsprechend, als Student der Theologie in Leipzig immatrikulieren.

Zu L.s akademischen Lehrern gehören der Theologe und Philologe Johann August Ernesti (1727-81), und Johann Friedrich Christ (1700-56), der Lehrer Johann Joachim Winckelmanns (1717-68), der Vorlesungen über Altertumskunde und Archäologie hielt. L, der später verschiedene Werke Christs rezensiert, zählt ihn zu den Gelehrten, »die mit einer ausnehmenden Gelehrsamkeit den feinsten Geschmack verbinden. [...] Nur solche Männer können uns die Alten nach Würden rühmen und solche große Muster ohne Verwegenheit nachahmen.« (LM IV, 27). – Nachhaltig beeinflußt wird L ebenfalls durch den Mathematiker Abraham Kästner (1719-1800), dessen Kolloquium über philosophische Streitfragen zu den wenigen Lehrveranstaltungen gehört, die L regelmäßig besucht. Außer L.s Vetter, dem Medizinstudenten Christlob Mylius (1722-54), beteiligten sich auch einige der »Bremer Beiträger«, so benannt nach den in Bremen erscheinenden *Neuen Beiträgen zum Vergnügen des Verstandes und des Witzes* (1744-48), an Kästners Übungen, darunter Friedrich Wilhelm Zachariä (1726-77), Johann Heinrich Schlegel (1724-80) und Johann Adolf Schlegel (1721-93). Aber im Gegensatz zu Friedrich Gottlieb Klopstock (1724-1803), der kurze Zeit vor L in Leipzig immatrikuliert worden war, schließt sich L den Bremer Beiträgern nicht an. – Eine Begegnung L.s mit Klopstock in Leipzig ist nicht bezeugt.

L lebt zunächst sehr zurückgezogen. An seine Mutter schreibt er später: »Ich komme jung von Schulen, in der gewißen Überzeugung, daß mein ganzes Glück in den Büchern bestehe. Ich komme nach Leipzig, an einen Ort, wo man die ganze Welt in kleinen sehen kan. Ich lebte die ersten Monate so eingezogen, als ich in Meisen nicht gelebt hatte. Stets bey den Büchern, nur mit mir selbst beschäfftigt, dachte ich eben so selten an die übrigen Menschen, als vielleicht an Gott.« Der Blick auf die eigene schüchterne Unbeholfenheit läßt ihn »die ernsthafften Bücher, eine zeitlang auf die Seite« legen. Er lernt »tanzen, fechten, voltigiren«, und er befaßt sich mit dem Theater. (20. 1. 49.).

12. Oktober: A. G. Kästner stellt L ein glänzendes Zeugnis aus: »da er bei den Disputationen über philosophische Gegenstände mit Freunden, unter meiner Leitung, sich als einen erwiesen, der richtig zu denken und seine Gedanken klar und elegant zu entwickeln gelernt hat, so daß ich von seinen Studien nur das Trefflichste erwarten kann.« (D 30).

Durch J. H. Schlegel lernt L den Philologie-Studenten und späteren Dramatiker Christian Felix Weiße (1726-1804) kennen. Sie belegen die gleichen Kurse, aber L ist ein wählerischer Hörer: »Kein Lehrer that ihm Genüge: alle schienen ihm seicht [...] Oft schwatzte er seinen Freund Weiße noch vor Ernesti's Thüre weg, und auf die Promenade.« (KG 50). – Gemeinsam lesen sie die neueste dt. Literatur, verfassen anakreontische Gedichte und lernen Englisch, wobei L bereits der Erfahrenere ist, und gemeinsam besuchen sie die Aufführungen der Neuberschen Theatertruppe. In der Hoffnung, sich Freikarten zu verschaffen, übersetzen sie Marivaux' *d'Annibal* (1727) in gereimte Alexandriner. – L überarbeitet seinen bereits aus der Meißener Zeit stammenden *Jungen Gelehrten* und wird durch Weiße zu weiteren Entwürfen angeregt (*Der Leichtgläubige, Die Matrone von Ephesus*). – Über L.s Arbeitsweise berichtet Weiße: »Ueberhaupt hatte er die Gewohnheit, seine theatralischen Arbeiten von Akt zu Akt, und Scene für Scene aufs genaueste zu entwerfen, und dann zu sagen, daß er sie fertig habe. Erst, wenn er sie in den Druck geben wollte, arbeitete er sie nach seinem Entwurfe langsam und mit vieler Bedachtsamkeit für die Presse, welches ihm nie leicht wurde, sondern die äußerste Anstrengung kostete.« (KG 69).

In den von Mylius herausgegebenen *Ermunterungen zum*

Vergnügen des Gemüths (Hamburg, 1747-48) erscheinen die ersten Produkte von L.s literarischer Tätigkeit im Druck: Sinngedichte, anakreontische Lieder und das Lustspiel *Damon oder die wahre Freundschaft;* auch in seiner noch im gleichen Jahr erscheinenden Zeitschrift *Der Naturforscher* (Leipzig, 1747-48) druckt Mylius lyrische Beiträge seines »anakreontischen Freundes«, i.e.L.
L.s leidenschaftliches Interesse für das Theater bringt ihn dem Kreis der Neuberschen Schauspieler näher. »Er hielt es nicht für klein, von ihnen zu lernen, was man aus keinem Buche lernt.« (KG 57). Seine Komödie *Der Junge Gelehrte* wird von Friederike Caroline Neuber (1697-1760) begeistert aufgenommen. – Bekanntschaft mit der 18jährigen Christiane Friederike Lorenz, einem Mitglied der Neuberschen Truppe.

1748

Januar: Erfolgreiche Uraufführung von L.s *Der junge Gelehrte* in Leipzig durch die Neubersche Truppe.

Februar: Nachrichten über L.s Beziehungen zum Theater und sein enges Verhältnis zu Christlob Mylius waren nach Kamenz gedrungen. Mylius, der als verbummelter Student und als Freigeist galt, hatte sich darüber hinaus 1743 durch Spottverse auf den Kamenzer Rat und den Pastor Primarius Lessing unbeliebt gemacht. Der aufgebrachte Vater fordert L heim, und bedient sich dabei der frommen Lüge, die Mutter liege im Sterben und verlange nach ihrem Sohn. – L kommt halb erfroren in Kamenz an und versöhnt sich mit seinen Eltern. – Aus frommem Eifer verbrennt Dorothea Salome einige anakreontische Gedichte ihres Bruders.

April: Mit väterlichen Ermahnungen und hinreichenden Mitteln zur Begleichung seiner Schulden in Leipzig versehen kehrt L auf die Universität zurück, um sich der Medizin und der Philologie zu widmen, er bleibt aber ein eifriger Theatergänger.

17. April: L entwirft das fragmentarisch gebliebene Trauerspiel *Giangir oder der verschmähte Thron.*

25. Juni: Mylius verläßt Leipzig und geht nach Berlin.

Sommer: Die Neubersche Truppe gerät in finanzielle Schwierigkeiten und löst sich auf.

Anfang Juli: L, der für einige der Schauspieler Bürgschaften übernommen hatte, entzieht sich seiner mißlichen Lage durch eine plötzliche, selbst seinen Freunden verheimlichte Abreise. Seiner Mutter schreibt er später darüber: »Meine Schulden waren bezahlt, und ich hätte nichts weniger vermuthet, als wieder darein zu verfallen. Doch meine weitläufftige Bekantschafft, und die Lebens Art die meine Bekannte an mir gewohnt waren, ließen mich an eben dieser Klippe nochmals scheitern. [...] Ich erwehlte Berlin gleich Anfangs zu meiner Zuflucht. Es muste sich wunderlich schicken, daß mich gleich zu der Zeit Herr Leßing [L.s Vetter Theophilus Gottlob] aus Wittenberg besuchte. Ich reisete mit ihn nach kurzer Zeit dahin ab, einige Tage mich daselbst aufzuhalten und umzusehn. [...] Aber ich ward krank.« (Berlin, 20. 1. 49).

13. August: Nach seiner Genesung läßt sich L mit Einwilligung seines Vaters in Wittenberg als Student der Medizin einschreiben.

Anfang November: L gibt sein Studium auf, begleicht seine Schulden mit dem Rest seines Stipendiums und reist nach Berlin, wo er sich eine Existenz als Schriftsteller erhofft.

8. November: Mylius wird Redakteur der *Berlinischen Privilegierten Zeitung*; Inhaber: Johannes Andreas Rüdiger (1683-1751).
L findet Unterkunft bei Mylius (Spandauer Str. 68) und durch ihn erste Bekanntschaften: er ordnet J. A. Rüdigers umfangreiche Bibliothek und verdient so sein erstes schmales Gehalt. Mylius führt ihn ebenfalls im Kreis seiner Gönner ein, darunter der Hofrat von Dobreslaw, der eine lateinische Übersetzung der *Bibliothèque Orientale* von Herbelot durch L redigieren lassen will, ein Baron von der Goltz und der Astronom Johann Kies.

9. November: L wird Rezensent für die *Berl. priv. Ztg.* (bis 1755); er bespricht Bücher aus allen Wissensbereichen: vornehmlich Werke literarischen oder historischen Inhalts in deutscher, französischer oder lateinischer Sprache. – Beginn der Freundschaft mit seinem Kollegen Christian Friedrich Voß (1722-95), dem Schwiegersohn J. A. Rüdigers, später Buchhändler und Verleger von L.s Schriften. – L befreundet sich ebenfalls mit Richier de Louvain, bei dem er frz. Sprachunterricht nimmt. – Zusammen mit Mylius verbessert er seine Spanischkenntnisse.

28./30. November: L rezensiert auf sehr ironische Weise die *Grundlegung einer deutschen Sprachkunst* von Johann Christoph Gottsched.
Die Alte Jungfer. Ein Lustspiel in drey Aufzügen. Von G. E. L. erscheint in Berlin im Druck. – Das Lustspiel *Der Misogyn* (Erstdruck 1755 im 6. Teil der *Schrifften*) wird vollendet.

1749

20. Januar: In einem längeren Brief an seine Mutter rechtfertigt L sein Leben in Leipzig und den Entschluß, nach Berlin zu gehen. Die Fortsetzung seines Studiums scheint ihm aus finanziellen Gründen unmöglich. »Ich gehe ganz gewiß nach Wien, Hamburg oder Hannover [...] Ich finde an allen drey Oertern sehr gute Bekannte und Freunde von mir. Wenn ich auf meiner Wanderschafft nichts lerne so lerne ich mich doch in die Welt schicken. Nuzen genung! Ich werde doch wohl noch an einen Ort kommen, wo sie so einen Flickstein brauchen, wie mich.«

März/April: L verbringt einige Tage in Frankfurt a.d. Oder.

10. April: Auf den Versuch seines Vaters, ihn als Assistenten des Philologen Johann Matthias Gesner (1691-1761) an der Universität Göttingen unterzubringen, reagiert L mit Begeisterung: »Was die Stelle in dem Seminario philologico in Göttingen anbelangt, so bitte ich Ihnen inständigst, sich alle ersinnliche Mühe deßwegen zu geben. Ich verspreche es ihnen, bey Gott, daß ich, so bald es gewiß ist, alsobald nach Hause kommen, oder gleich von hier aus dahin gehen will.« – Im übrigen versucht er weiter, seinen Hang zum Theater zu rechtfertigen und die Abneigung der Eltern gegen Mylius abzuschwächen. Neun Taler, die ihm der Vater zur sofortigen Heimreise geschickt hatte, legt er für neue Kleidung an.
L arbeitet an einer Übersetzung des *Catilina* (1748) von Crébillon.

28. April: In einem Brief an seinen Vater bittet L um Wäsche, seine in Wittenberg zurückgelassenen Bücher und ein Manuskript mit Gedichten: »Es sind freye Nachahmungen des Anakreons, wovon ich schon einige in Meisen gemacht habe.« – Weiter bemerkt er, den »Beweis« des Vaters, »warum ein Comoedienschreiber kein guter Christ seyn könne«, nicht ergründen zu können und kündigt ihm ein Stück an, das »nicht nur die H. Theologen lesen sondern auch loben sollen«. Er hat 1755 sein Versprechen mit dem *Freygeist* eingelöst.

L ordnet seine frühen Gedichte und schickt sie dem Stuttgarter Buchhändler Metzler zum Verlag. Sie erscheinen zwei Jahre später ohne den Namen des Verfassers als *Kleinigkeiten.*

L arbeitet an einer *Abhandlung über die Pantomimen der Alten,* eine Arbeit, durch die er sich in Göttingen zu etablieren gedachte. Die Schrift blieb liegen, als sich die Göttinger Pläne zerschlugen.

1. Juli: L.s Alexandrinergedicht »An den Herrn Marpurg, über die Regeln der Wissenschaften zum Vergnügen, besonders der Poesie und Tonkunst« erscheint in Friedrich Wilhelm Marpurgs (1718-95) Zeitschrift *Der kritische Musikus an der Spree.* Mit Bezug auf Klopstock plädiert L für die Freiheit des Genies: »Ein Geist, den die Natur zum Mustergeist beschloß,/Ist, was er ist, durch sich, wird ohne Regeln groß.« (LM I, 253). – Als Beitrag zu einer Debatte über die Vorzüge des italienischen oder des französischen Geschmacks in der Musik, in die Marpurg und der mit L ebenfalls befreundete Komponist Johann Friedrich Agricola (1720-74) verwickelt waren, liefert L das Fragment *Tarantula. Eine PossenOper.* (*Theatralischer Nachlaß,* 1784).

17. Juli: Samuel Henzi, Journalist und Schweizer Patriot, wird wegen seiner Verschwörung gegen die Adelsoligarchie in Bern öffentlich enthauptet. Unter dem unmittelbaren Eindruck der Ereignisse in Bern, über die die *Berl. priv. Ztg.* mit deutlicher Sympathie für die Verschwörer berichtet, arbeitet L an seinem Fragment gebliebenen *Samuel Henzi Ein Trauerspiel* (Erstdruck 1753 im 2. Teil der *Schrifften*).

Oktober: Zusammen mit Mylius plant L eine umfassende Theaterzeitung, die nach der im Oktober abgeschlossenen Vorrede eine auf in- und ausländische Autoritäten gestützte Dramaturgie, Kritik, insbesondere moderner ausländischer Stücke, und eine Geschichte des Theaters enthalten soll. Neben griechischen und lateinischen Werken sollen vor allem englische und spanische Stücke übersetzt werden, denn sie verdienten »unsere Hochachtung sowohl als die gepriesenen

französischen Dichter«. Gottscheds Bemühungen werden lobend erwähnt, obgleich sich bereits der Satz findet, »wollte der Deutsche in der dramatischen Poesie seinem eignen Naturelle folgen, so würde unsre Schaubühne mehr der englischen als französischen gleichen«. (LM IV, 52 f.).
L vollendet das Lustspiel *Die Juden* (Erstdruck 1754 im 4. Teil der *Schrifften*) und schreibt die ersten Szenen des Fragment gebliebenen Lustspiels *Weiber sind Weiber.* (*Theatr. Nachlaß*, 1784).

1750

Die *Beyträge zur Historie und Aufnahme des Theaters* erscheinen in 4 Teilen ohne die Namen der Herausgeber bei Metzler in Stuttgart. Sie bewältigen nur einen Bruchteil des angekündigten Programms. L.s gewichtigster Beitrag, der sich über alle Lieferungen erstreckt, betrifft Plautus: seine Vita, eine Übersetzung seiner *Captivi* und eine Kritik des Stücks. L hält es für das schönste Stück, das jemals auf die Bühne gekommen sei, weil es dem Ideal der Komödie am nächsten rücke.
Aus der Beschäftigung mit dem römischen Komödiendichter entsteht zu Beginn des Jahres das Szenarium *Justin* (nach Plautus' *Pseudolus*) und das 1755 im 5. Teil der *Schrifften* gedruckte Lustspiel *Der Schatz* (nach Plautus' *Trinummus*).
L arbeitet an der Übersetzung von Charles Rollin: *Histoire ancienne.* (1730/38).

10. Juli: Voltaire kommt auf Einladung Friedrichs II. nach Berlin – Richier de Louvain wird sein Privatsekretär.
Voltaire, der sich in illegale Spekulationen mit sächsischen Steuerscheinen eingelassen hatte, prozessiert gegen Abraham Hirsch, von dem er sich übervorteilt glaubt. L, von Louvain empfohlen, übersetzt Voltaires Eingaben an das Gericht. (Der Prozeß endet am 26. 2. 51 mit einem Vergleich).
L hat die Übersetzung eines »englischen Werks« abgeschlossen und plant die *Novellas Exemplares* (1739) des Cervantes zu übersetzen.

23. August: L.s Übersetzung von Calderons *Das Leben ist ein Traum* erscheint im Druck. Ein französisches Lustspiel, *Palaion*, bleibt, ebenso wie die spätere dt. Bearbeitung, Fragment.

2. November: L berichtet dem Vater, Mylius habe die Redaktion der *Berl. priv. Zeitung* aufgegeben; er selbst sei mehrfach »angegangen worden, sie an seiner Statt zu schreiben, wenn ich mit solchen politischen Kleinigkeiten meine Zeit zu verderben Lust gehabt hätte«.
L wird Mitarbeiter der seit 1750 von Mylius (vorher von Johann Georg Sulzer (1720-79)) herausgegebenen *Critischen Nachrichten aus dem Reiche der Gelehrsamkeit.*
Das Fragment *Gedanken über die Herrnhuter* entsteht; gedruckt wird es erst 1784 durch K. G. Lessing im *Theologischen Nachlaß.*

1751

J. A. Rüdiger stirbt und vererbt seine Zeitung seinem Schwiegersohn C. F. Voß.

Februar: L übernimmt die Redaktion des »gelehrten Artikels« der *Berl. priv. Ztg.*
Voltaire beauftragt L, fünfzehn seiner Essays zu übersetzen; sie erscheinen 1752 in Rostock als *Des Herrn von Voltaire Kleine Historische Schriften.*

April (bis Dezember): L redigiert die monatliche Beilage der *Berl. priv. Ztg.*: »Das Neuste aus dem Reiche des Witzes«.

September: *Das Neuste* bringt L.s behutsame Kritik an den Eingangsversen von Klopstocks *Messias*: »Es giebt eine Art des Tadels, welche dem Getadelten Ehre macht.« (LM V, 76).

15. Oktober: J. G. Sulzer schreibt aus Berlin an J. J. Bodmer: »Es ist hier ein neuer Criticus aufgestanden, von dessen Werth Sie aus beiliegender Critik über den Messias werden urtheilen können. Er scheint nur noch ein wenig zu jung.« (D 48).

7. und 17. Dezember: Rezension von Klopstocks »Ode an Gott« in der *Berl. priv. Ztg.* und in den *Critischen Nachrichten.* L wendet sich entschiedener gegen Klopstockschen Gefühlsüberschwang, den die Schweizer Kritiker bewundern, allerdings schließt er sich nicht zugleich den Klopstock feindlichen Gottschedianern an.

Ende Dezember: L reist nach Wittenberg, um sein Universitätsstudium zu einem Abschluß zu bringen. Ein noch ungebundenes Exemplar des ersten Bandes von Voltaires *Siècle de*

Louis XIV, das er auf drei Tage von Richier geborgt hatte, nimmt er mit. Durch eine Reihe von Zufällen erfährt Voltaire davon und verdächtigt L, er wolle eine deutsche und eine italienische Ausgabe veranstalten. Auf Voltaires erregten Protest schickt L die Druckbögen im Januar zurück. Richier wird fristlos entlassen, erhält aber bald danach eine Stellung als Bibliothekar beim Prinzen Heinrich von Preußen. – Durch Voltaire erfährt Friedrich II. (1712-86) von dieser Affaire, und es scheint, daß hier die Wurzeln für dessen spätere Voreingenommenheit gegen L zu suchen sind.

1752

Januar: L wohnt in sehr ärmlichen Verhältnissen bei seinem Bruder Theophilus in Wittenberg. Gemeinsam lesen sie Horaz und Martial und übersetzen den Anfang von Klopstocks *Messias* in lateinische Hexameter. – Die Möglichkeiten der Wittenberger Universitätsbibliothek nutzend befaßt sich L vor allem mit kirchengeschichtlichen Studien.

Januar: Mylius, der während L.s Abwesenheit den Redakteursposten bei Voß vertritt, schreibt: »Ihre Sache mit Voltairen hat hier viel Aufsehns gemacht. Sie sind nach Ihrer Abreise bekannter geworden, als Sie es bey Ihrem Daseyn waren.«

März: Gottlob Samuel Nicolai (1725-65), Professor der Philosophie in Halle, später in Frankfurt a.d. Oder, besucht L in Wittenberg.

29. April: Durch lateinische Vorarbeiten zur Biographie und Kritik Juan Huartes (ca. 1530–1592) erwirbt L den Magistertitel. L.s Übersetzung von Huartes *Examen de Ingenios para las sciencias* (1575) erscheint im gleichen Jahr in Zerbst.

9. Juni: L schreibt dem Hallenser Professor Nicolai, die inzwischen erschienene Horazübersetzung von Samuel Gotthold Lange stecke voller Fehler, und er plane eine öffentliche Kritik. – Lange galt, nach J. J. Pyras Tod, 1744, als das Haupt der Halleschen Dichterschule und als begnadeter Horatianer.

L verarbeitet seine Wittenberger Lesefrüchte in den an einen fingierten Empfänger gerichteten *Briefen* (Erstdruck 1753 im 2. Teil der *Schrifften*). »Es sind also nichts als Briefe an

Freunde, und zwar an solche, an die ich etwas mehr als Complimente zu schreiben gewohnt bin.« (Vorrede, LM V, 37). – Er schickt einige Bogen mit kritischen Ergänzungen zum *Allgemeinen Gelehrten-Lexikon* von Christian Gottlieb Jöcher (1694-1758) an dessen Verleger, eine umfassende Kritik dieses 1750/51 in vier Bänden erschienenen Werkes ist geplant.

1. Oktober: C. G. Jöcher bietet an, L.s Erweiterungen und Berichtigungen in den Ergänzungsbänden zum *Lexikon* zu berücksichtigen; etwaige Unkosten L.s ist er bereit zu ersetzen; im übrigen wünscht er, »daß Ew. Hochedelgeb. [L] sich manchmal weniger heftig, beissend und anzüglich ausgedrückt«. – L läßt daraufhin seinen ursprünglichen Plan fallen, druckt aber das bereits Ausgearbeitete 1753 in den *Briefen.*

November: L kehrt nach Berlin zurück und übernimmt wieder die Redaktion der Rubrik »Von gelehrten Sachen« in der *Berl. priv. Ztg.* Er wohnt in der Nähe der Vossischen Buchhandlung, Nikolaikirchhof 10. Im Berliner Montagsklub, dem er sich anschließt, lernt er den Ästhetiker Johann Georg Sulzer (1720-79), den Flötisten Friedrichs II. Johann Jakob Quantz (1697-1773), den Kupferstecher Johann Wilhelm Meil (1733-1805) und den Literaten (und Lehrer an der Berliner Kadettenschule) Karl Wilhelm Ramler (1725-98) kennen; auch J. F. Agricola und C. F. Voß gehörten zu den Mitgliedern.

1753

Februar: Mylius, unterstützt durch den »Verein zur Förderung naturwissenschaftlicher Reisen«, dem u. a. A. von Haller, der Mathematiker Leonhard Euler (1707-87) und J. G. Sulzer angehören, bricht zu einer Reise nach Surinam auf.

Frühling: L bittet den Vater um Erlaubnis, seinen Bruder Theophilus während der Semesterferien nach Berlin einladen zu dürfen. Wegen des Argwohns der Eltern, L wolle ihn von der Theologie abbringen, zerschlägt sich der Plan.

Ostern: L.s Übersetzungen der *Lettres au public* Friedrichs II. und *Des Abts von Marigny Geschichte der Araber unter der Regierung des Califen. Erster Theil* erscheinen bei Voß. Mit Bezug auf das zweite Werk schreibt L seinem Vater (29. 5.), er habe sich der Vorrede wegen nicht als Übersetzer

G. E. Lessings.
Schrifften.
Erster Theil.
Berlin,
bey
C. F. Voss.
1753.

genannt. In dieser Vorrede verteidigt L den Abt auf das Entschiedenste gegen die Kritik Sigmund Jakob Baumgartens (1706-57), eines Mannes, »welcher sich mit Recht beynahe ein dictatorisches Ansehen in der Geschichte, und in der Beurtheilung ihrer Schriftsteller erworben«. (LM V, 24). – L veröffentlicht ebenfalls seine Übersetzung der *Anmerkungen eines unpartheyischen Fremden über die gegenwärtige Streitigkeit zwischen England und Preussen,* zusammen mit dem englischen Text. – L.s *Schrifften* erscheinen bei Voß: der erste Teil enthält Lieder, Oden, Fabeln und Sinngedichte, der zweite bringt die Resultate seiner Wittenberger Studien, darunter eine »Rettung« des Simon Lemnius, der sich einer an seinen Gönner, Albrecht von Mainz, gerichteten Huldigung wegen den Zorn Luthers zugezogen hatte, die *Messias*-Kritik, das Trauerspielfragment *Samuel Henzi,* und die Kritik an Lange und Jöcher.

10. November: Der *Hamburgische unpartheyische Correspondent* druckt L.s Kritik an Langes Horazübersetzung. – Lange, durch einen ungeschickten Vermittlungsversuch G. S. Nicolais irregeführt, verdächtigt L im *Correspondenten,* er habe sich seine Kritik abkaufen lassen wollen. L protestiert dagegen in der *Berl. priv. Ztg.* (27. 12.) und – 1754 – im *VADE MECUM.* G. S. Nicolai bekennt, den Vorschlag gemacht zu haben.

1. Dezember: In einem Brief referiert der mit L bekannte Schriftsteller Christian Nicolaus Naumann (1720-97) L.s theologische Grundsätze. Aus seiner Darstellung geht hervor, daß L bereits zu dieser Zeit die Thesen seines 1784 im *Theol. Nachlaß* veröffentlichten *Christentums der Vernunft* formuliert hat. (D 72).

1754

17. Januar: L zeigt das Erscheinen des *VADE MECUM für Hrn. Sam. Gotth. Lange* in der *Berl. priv. Ztg.* an.

10. Februar: L bedankt sich bei dem Göttinger Theologen Johann David Michaelis (1717-91) für die Besprechung seiner *Schrifften:* »Wenn mir in gedachter Recension irgend etwas Vergnügen gemacht hat, so ist es vorzüglich Dero Beystim mung zu meinem Urtheile über die elende *Langische* Uebersetzung der Oden des Horaz.«

6. März: Mylius, der von Holland nach Surinam aufbrechen wollte, anstatt dessen aber nach England gefahren war, um sich von dort aus nach Nordamerika einzuschiffen, stirbt in London an einer Lungenentzündung. – L ediert mit einer bemerkenswert kühlen Vorrede die *Vermischten Schriften des Hrn. Christlob Mylius.*

Beginn der Freundschaft mit dem Buchhalter und Philosophen Moses Mendelssohn (1729-86). Er soll L durch einen gemeinsamen Bekannten als guter Schachspieler empfohlen worden sein. – Noch vor Jahresende lernt L den schriftstellernden Buchhändler Friedrich Nicolai (1733-1811) kennen, dessen bei Voß verlegte *Briefe über den itzigen Zustand der schönen Wissenschaften* L.s Aufmerksamkeit erregten. Nicolai, ein jüngerer Bruder des Halleschen Professors Gottlob Samuel N., wird durch L mit Mendelssohn bekannt: gemeinsame literaturkritische und philosophische Interessen führen zeitweilig zu einem lebhaften Gedankenaustausch und zu einem langjährigen freundschaftlichen Verhältnis.

Ostern: Zwei weitere Bände von L.s *Schrifften* erscheinen bei Voß. Der 3. Teil enthält die *Rettungen* (des Horaz, des Cardanus, des Inepti Religiosi, des Cochläus). »Die wenigen Abhandlungen desselben, sind alle, *Rettungen*, überschrieben. Und wen glaubt man wohl, daß ich darinne gerettet habe? Lauter verstorbne Männer, die mir es nicht danken können. Und gegen wen? Fast gegen lauter Lebendige, die mir vielleicht ein sauer Gesichte dafür machen werden.« (LM V, 268). – Der 4. Teil bringt die Lustspiele *Der junge Gelehrte* und *Die Juden.*

Juni: Die Berliner Akademie stellt die Preisaufgabe, das »System« Alexander Popes, das in dem Satz »alles ist gut« enthalten sei, zu untersuchen. Man sprach von Pope und meinte Leibniz, dessen Philosophie Maupertuis, der Vorsitzende der Akademie, gern diskreditiert gesehen hätte. Die von L und Mendelssohn gemeinsam verfaßte Abhandlung *Pope – ein Metaphysiker!* weist in überlegener Ironie die unzulässige Vermengung von Philosophie und Dichtung zurück, kreuzt den Fragestellern die falsche Übersetzung von »all is right« (Pope, *Essay on Man,* 1733/34) als »tout est bien« an und findet ihre letzte Bestätigung in einem Brief Popes an Swift: er habe sich nur einen philosophischen Bart umgehängt, i.e. angelesene Philosophie poetisiert. Die Schrift wurde vermutlich ihres aggressiven Charakters wegen nicht eingereicht, sondern erschien 1755 anonym in Danzig.

29. September: Zur Michaelismesse erscheint das 1. Stück der von L herausgegebenen *Theatralischen Bibliothek.* Sie war als Fortsetzung der *Beyträge zur Historie und Aufnahme des Theaters* gedacht und sollte der zeitgenössischen Diskussion zur Dramaturgie relevantes Material zur Verfügung stellen.

1755

Mit Mendelssohn plant L eine Zeitschrift *Das Beste aus schlechten Büchern.* »Doch weil ich voraus sah«, so berichtet eine Notiz aus dem *Nachlaß,* »daß mir die Fortsetzung zu schwer werden würde, so unterblieb ein Vorhaben, zu welchem ich mir kaum jetzt Kräfte genug zutraue.« (LM XIV, 191)

Januar: Bei einem Besuch in Berlin lernt L Gleim kennen und gewinnt, durch Nicolai, eine engere Beziehung zu Karl Wilhelm Ramler.

Ende Januar: L geht auf sieben Wochen nach Potsdam. In dieser Zeit entsteht sein erstes bürgerliches Trauerspiel: *Miß Sara Sampson.*

1. März: L bespricht in der *Berl. priv. Ztg.* die *Philosophischen Gespräche* von M. Mendelssohn.

11. April: L schreibt seinem Vater: »Man hat es mir seit einiger Zeit sehr nahe gelegt, nach Moscau zu gehen, wo, wie Sie aus den Zeitungen werden gesehen haben, eine neue Universität angelegt wird.«

Der sechzehnjährige Gottlob Samuel besucht seinen älteren Bruder eine Zeitlang in Berlin, aber der Versuch, ihn durch L erziehen zu lassen, mißlingt. Der Vater schickt ihn auf das Pädagogium in Halle.

April: Durch J. G. Sulzers Vermittlung bietet sich L die Möglichkeit, einen jungen Schweizer auf einer Bildungsreise durch Europa zu begleiten.

Ostern: Das 2. Stück der *Theatralischen Bibliothek* (1754 datiert) erscheint; es enthält L.s umfangreiche Abhandlung über Senecas Trauerspiele, die Übersetzung von Riccobonis Geschichte des italienischen Theaters und Auszüge aus zwei italienischen Dramen.

3. Mai: In der *Berl. priv. Ztg.* bespricht L den 5. und 6. Teil seiner *Schrifften;* im fünften erscheinen *Der Freygeist* und *Der Schatz,* im sechsten *Miß Sara Sampson* und *Der Misogyn.* Zur *Sara* bemerkt er: »Ein bürgerliches Trauerspiel! Mein Gott! Findet man in Gottscheds critischer Dichtkunst ein Wort von so einem Dinge? Dieser berühmte Lehrer hat nun länger als zwanzig Jahr seinem lieben Deutschland die drey Einheiten vorgeprediget, und dennoch wagt man es auch hier, die Einheit des Orts recht mit Willen zu übertreten. Was soll daraus werden?« (LM VII, 26).

9. Juli: L reist mit Ramler nach Frankfurt a. d. Oder.

10. Juli: Uraufführung der *Miß Sara Sampson* durch die Ackermannsche Truppe. Ramler berichtet: »Herr Leßing hat seine Tragödie in Franckfurt spielen sehen und die Zuschauer haben drey und eine halbe Stunde zugehört, stille geseßen wie Statüen, und geweint.« (An Gleim 25. 7.; D 127).

Sommer: Erste Bekanntschaft mit Ewald von Kleist (1715-59). Kleist, dessen Gedicht *Der Frühling* 1749 erschienen war, gehörte als preußischer Offizier zur Potsdamer Garnison.

Mitte Oktober: L gibt seine Stellung an der *Berl. priv. Ztg.* auf und siedelt um nach Leipzig. Er erneuert seine alte Freundschaft mit C. F. Weiße.

Oktober/November: Lektüre der Lustspiele des Goldoni. »Eine von diesen Komödien *l'Erede fortunata* habe ich mir zugeeignet; indem ich ein Stück nach meiner Art daraus verfertigt. [...] Aber nicht allein dieses Stück, sondern auch noch fünf andere, sind größtentheils schon auf dem Papier, größtentheils aber noch im Kopfe, und bestimmt mit jenem einen Band auszumachen, mit welchem ich das ernsthafte Deutschland auf Ostern beschenken will.« (An Mendelssohn, 8. 12.). – Der Leipziger Buchhändler Reich beginnt mit dem Druck des geplanten Bandes, überwirft sich aber mit L und vernichtet das bereits Fertiggestellte. Nur ein Szenar *(Die Klausel im Testament)* und der ausgearbeitete erste Akt *(Die glückliche Erbin)* sind erhalten.

September: Zur Michaelismesse erscheint der 3. Teil der *Theatralischen Bibliothek.* Er enthält L.s Übersetzung des 3. Teiles von du Bos' *Reflexions critiques sur la Poesie et sur la*

Peinture: »*Des Abts du Bos Ausschweifung von den theatralischen Vorstellungen der Alten.*«

Herbst: L ist mehrmals bei Christian Fürchtegott Gellert (1715-69) zu Besuch.

Durch Vermittlung von Weiße (oder Reich) lernt L den Leipziger Kaufmannssohn Christian Gottfried Winkler kennen, der für eine auf vier Jahre geplante Reise einen Begleiter sucht. L entschließt sich, gegen Erstattung der Reisekosten und ein Jahresgehalt von 300 Talern, den Posten zu übernehmen.

8. Dezember: L sieht dem Unternehmen mit großen Erwartungen entgegen: »Ich werde nehmlich nicht als ein Hofmeister, nicht unter der Last eines mir auf die Seele gebundenen *Knabens,* nicht nach den Vorschriften einer eigensinnigen Familie, sondern als der bloße Gesellschafter eines Menschen reisen, welchem es weder an Vermögen noch an Willen fehlt, mir die Reise so nützlich und angenehm zu machen, als ich mir sie nur selbst werde machen wollen.« (An Mendelssohn). Die Reise, für das kommende Frühjahr angesetzt, soll zunächst über Berlin und Hamburg nach Holland gehen.

12. Dezember: L schreibt seinem Berliner Bekannten George August von Breitenbauch, er arbeite an seinem *D. Faust.* »Ich verspare die Ausarbeitung der schrecklichsten Scenen auf *England.* Wenn sie mir dort, wo die *überlegende Verzweiflung* zu Hause ist, wo mehr als irgend die Unglücklichen – when they see all hope of fortune vanish'd,/*Submit and gain a Temper by their ruine*;/wenn sie mir, sag ich, da nicht gelingen, so gelingen sie mir nirgends.«

1756

Februar: L reist auf einige Wochen nach Dresden, wo er unverhofft seine Eltern trifft, die sich hier einer Erbschaftsangelegenheit wegen aufhalten. Er begleitet seine Eltern nach Kamenz, wo er vier seiner Geschwister trifft: Theophilus, der nach abgeschlossenem Theologiestudium auf Anstellung wartet, und Gottfried, der zu Ostern sein Studium in Leipzig beginnen soll, dann seine Schwester Salome und den physisch und geistig zurückgebliebenen jüngsten Bruder, Erdmann.

19. März: L kehrt über Dresden nach Leipzig zurück.

21. März: Mit Weiße reist L zu dessen Schwester in Altenburg, dann nach Gera.

4. April: Rückkehr nach Leipzig; er zieht in das Winklersche Haus, die »Feuerkugel«, am Neuen Neumarkt. Bei seinem alten Lehrer J. F. Christ bereitet er sich auf seine große Reise vor.

9. April: L verspricht dem Vater, für die Unterkunft seines Bruders Gottfried in Leipzig zu sorgen.

April: L berät die Schauspieler der Kochschen Truppe bei den Proben zur *Miß Sara Sampson.* Es wird eine durch Weiße gekürzte Version des Stückes aufgeführt.
Die von einer gelehrten Gesellschaft in Stralsund veranstaltete Übersetzung *Des Herrn Jacob Thomson sämtliche Trauerspiele* erscheint mit einer Vorrede L.s zur Ostermesse in Leipzig.
F. Nicolai läßt bei Lange in Berlin einen Prospekt seiner *Bibliothek der schönen Wissenschaften und freien Künste* drukken, in dem er ein Preisausschreiben für das beste deutsche Trauerspiel ankündigt.

10. Mai: Beginn der Reise mit Winkler; sie fahren über Magdeburg nach Halberstadt. Besuch bei Gleim (16. 5.); in Braunschweig besichtigen sie die Kunstsammlungen des Museums, in Wolfenbüttel die Herzogliche Bibliothek; dann geht es über Hildesheim, Hannover, Celle und Lüneburg nach Hamburg.
In Hamburg lernt L den Schauspieler Konrad Ekhof von der Schönemannschen Truppe kennen. Zur Veränderung und Besprechung von drei Stücken, die ihm Weiße für Ekhof mitgegeben hatte, kommt es allerdings nicht. »Die Vergnügungen hier in Hamburg haben ihn vermuthlich davon abgehalten«, schreibt Ekhof an Weiße, »oder er giebt mir vielleicht in der Nachlässigkeit nicht viel nach. [...] Des Hrn. M. Lessing Umgang hat mich ungemein ergötzt. Wie vielen Dank bin ich Ihnen für die Bekanntschaft eines so braven Mannes schuldig!« (D 163).

13. Juni: Es kommt zur ersten persönlichen Begegnung mit Klopstock.
Von Hamburg geht die Reise nach Bremen, Oldenburg, Emden, Gröningen, Leeuwarden, Franeker und Harlingen, dann von Lemmer über die Zuydersee nach Amsterdam.

20. Juli: Von Emden schreibt L an Nicolai: »Ich habe eine

Menge unordentlicher Gedanken über das bürgerliche Trauerspiel aufgesetzt, die Sie vielleicht zu der bewußten [von Nicolai über das Trauerspiel geplanten] Abhandlung brauchen können, wenn Sie sie vorher noch ein wenig durchgedacht haben.«

29. Juli: Ankunft in Amsterdam.

3. August: Aus Amsterdam berichtet L dem Vater: »Wir haben uns an jedem dieser [der obengenannten] Orte, nachdem es sich der Mühe verlohnte, einige Tage oder Wochen aufgehalten; und sobald, als wir von hier aus die übrigen vereinigten Provinzen werden besehn haben, werden wir nach England übergehen; welches zu Anfange des Octobers geschehen dürfte.«

29. August: Preußische Truppen überschreiten die sächsische Grenze: Beginn des Siebenjährigen Kriegs.
Leipzig wird besetzt. Die Aufregung kostet L.s Freund und Lehrer J. F. Christ, Rektor der Universität, das Leben. Der preußische Kommandant, General von Hausen, nimmt im Winklerschen Hause Quartier.
C. G. Winkler beschließt, die Reise abzubrechen; L kehrt mit ihm nach Leipzig zurück.

Ende September: Ankunft in Leipzig; L wohnt wieder im Winklerschen Haus.

1. Oktober: L beklagt sich bei Mendelssohn: »Ja freylich bin ich, leider, wieder in Leipzig. Dank sey dem Könige von Preussen!«

November: Beginn des Briefwechsels mit Nicolai und Mendelssohn über das Trauerspiel.

29. November: Nicolai hatte seine geschäftlichen Interessen zugunsten seiner wissenschaftlichen aufgegeben. L beglückwünscht ihn zu dem Entschluß »sich selbst zu leben«. Im übrigen rechnet er fest mit der Fortsetzung seiner Reise mit Winkler.

November/Dezember: Um seine finanzielle Lage aufzubessern, übersetzt L das *System of Moral Philosophy* (1755, 2 Bde.) des Shaftesbury-Schülers Francis Hutcheson (1694-1746) und *A Serious Call to a Devout and Holy Life* (1729) von William Law (1686-1761).

1757

Anfang Februar: L klagt über eine »außerordentliche Beklemmung der Brust« und Unpäßlichkeit.

19. Februar: L hat nach einigen vergeblichen Bemühungen in dem Leipziger Buchhändler Dyk einen Verleger für Nicolais *Bibliothek* gefunden. Mit dieser Nachricht schickt er dem Berliner Freund das Trauerspiel *Der Freygeist* von Joachim Wilhelm von Brawe (1738-58) für das Preisausschreiben.

Mitte März: Der zum Major beförderte E. von Kleist wird zu dem Hausenschen Regiment nach Leipzig versetzt.

17. März: L schreibt die Vorrede zu seiner Übersetzung von Samuel Richardsons *Sittenlehre für die Jugend in den auserlesensten Aesopischen Fabeln.* Das Werk erscheint zu Ostern in Leipzig.

26. März: Kleist erkrankt; L besucht ihn täglich, häufig in der Gesellschaft von Weiße.

29. März: L an Nicolai: »Vor einigen Wochen gab man mir hier Schuld, daß ich das Schreiben eines *Großvaters etc.* gemacht habe; und da dieses Schreiben wider das Sächsische Interesse ist, so bin ich dadurch bey dem patriotischen Theile meiner Landsleute eben nicht in den besten Ruf gekommen. Da man mich nun auch in Berlin für fähig halten kann, etwas wider das Preußische Interesse zu schreiben, so muß ich gegen mich selbst auf den Verdacht gerathen, daß ich entweder einer der unpartheyischsten Menschen von der Welt, oder ein grausamer Sophist bin.« – Verfasser der anti-preußischen Schrift *Schreiben eines Buchdruckergesellen aus H. an seinen guten Freund in L.* war Christian Gottlob Heyne (1729-1812); der berühmte Göttinger Philologe war damals Kopist und Bibliothekar des Grafen Brühl.
Zu den Abendgesellschaften bei dem nur langsam genesenden Kleist gehören neben Lessing und Weiße, der Student J. W. v. Brawe und der Leipziger Ratsherr Karl Wilhelm Müller.

Ostern: Gleim besucht seine Freunde in Leipzig.

3. Mai: Der dankbare Kleist versucht, L zu einer Stellung zu verhelfen. Er schreibt an Gleim: »Vigiliren Sie doch auf eine Kriegsrath-Stelle in Ihrer Gegend für ihn oder sonst auf eine andere convenable Bedienung! Er wird sich in alle finden lernen; denn er hat Verstand.« (D 173).

8. Mai: Auf Drängen Gleims hat L eine Ode auf Friedrich

II. geschrieben, so »wie er als Sachse sie machen darf« (Kleist) – L nennt sie allerdings »An Herrn Gleim«. (D 174).

Anfang Mai: Das Verhältnis zu Winkler verschlechtert sich. L, der durch Kleist auch andere preußische Offiziere kennengelernt hatte, darunter den späteren General Bogislaw Friedrich von Tauentzien (1710-91), lud zum Ärger von Winklers Geschäftsfreunden seine preußischen Freunde zur gemeinsamen Tafel. – Leipzig hatte eine Kriegskontribution von 90000 Reichstalern zu leisten.
Winkler kündigt L die Wohnung und weigert sich, die für den Abbruch der Reise vertraglich vereinbarte Entschädigung zu zahlen.

13. Mai: Kleist, weiter bemüht, L eine Stellung in Preußen zu verschaffen, schreibt an Gleim: »Es soll in Berlin bei der Schloßbibliothek ein sehr alter Bibliothekarius sein, der entweder bald sterben oder einen Adjunktus haben muß und [der Theologe Friedrich Samuel] Sack soll dazu kontributieren können, daß Lessing diesen Posten erhält. Schreiben Sie doch gleich an Sacken und Sulzern dieserwegen.« (D 176). – Dieser Versuch bleibt ebenso erfolglos (die Stellung war bereits besetzt) wie Kleists Fürsprache bei Christian Ludwig von Brandt, dem Stallmeister des Prinzen Heinrich von Preußen, L als Sekretär beim englischen Gesandten (27. Mai) oder als Hofmeister Prinz August Ferdinands von Preußen (3. Juli) unterzubringen.

Mai: L plant die Rückreise: »Künftige Woche, gehe ich wieder nach Berlin. [...] Wie froh werde ich seyn, wenn ich wieder in Berlin bin, wo ich es nicht länger nöthig haben werde, es meinen Bekannten nur ins Ohr zu sagen, daß der König von Preussen dennoch ein großer König ist.« (An Gleim).
Das erste Stück von Nicolais *Bibliothek der schönen Wissenschaften und freien Künste* erscheint. L besorgt Korrektur und Druck der ersten 3 Bände, die bis 1758 bei Dyk in Leipzig erscheinen.

18. Mai: Der Prozeß L.s gegen Winkler beginnt. Das langwierige Verfahren führt zunächst zu einer Entscheidung der Juristenfakultät gegen L; durch die Vermittlung des L befreundeten Ratsherrn K. W. Müller wird dieses Urteil durch die sächsische Landesregierung am 13. Oktober 1764 zu L.s Gunsten revidiert.

Anfang Juli: L druckt in der *Bibliothek* (1. Bd. 2. Stück) unter der Überschrift »Im Lager bei Prag« zwei Gesänge »die einen gemeinen Sodaten zum Verfasser haben«. Die Texte waren L vermutlich auf anonym erschienenen Flugblättern in die Hände gekommen; ihr Verfasser – wie L sehr wohl wußte – war Gleim.
Der Prozeß mit Winkler, aber auch persönliche Schulden, halten L in Leipzig fest.

6. Juli: L verhandelt mit Voß über den Druck seiner Fabeln; er schickt eine Auswahl an Mendelssohn.

August: L klagt über Fieber und Kopfschmerzen.

Oktober: Mendelssohn unterstützt L mit 60 Talern.

16. Oktober: Berlin wird einen Tag lang von österreichischen Truppen besetzt.

22. Oktober: L schreibt Mendelssohn, der »bey dem unvermutheten Besuche der Oestreicher … ziemliche Contenance« bewahrte: »Was für ein unseliges Ding ist doch der Krieg! Machen Sie, daß bald Friede wird, oder nennen Sie mir einen Ort, wo ich die Klagen der Unglücklichen nicht mehr höre. Berlin wird dieser Ort nun auch nicht mehr seyn.«

Mitte Oktober: Leipzig wird von österreichischen Alliierten bedroht; Friedrich II. besucht die Stadt und unterhält sich bei dieser Gelegenheit mit Gottsched.
L arbeitet an einer Virginia-Tragödie. Weil er sich damit um den von Nicolai ausgesetzten Preis bewerben will, verheimlicht er seine Verfasserschaft.

5. November: Die Preußen siegen bei Roßbach über die Reichsarmee und ein französisches Heer unter Soubise.

8. November: Durch Kleist empfiehlt L Gleim, »der Grenadier könnte nun wol einmal ein lustig Stückchen singen«. (D 201).

25. November: »Die Tragödie, [*Virginia*], an der ein junger Mensch hier noch arbeitet, sollen Sie [Nicolai] in drey Wochen haben.« – Außerdem plant L, »einen bessern *Codrus*« zu machen als v. Cronegk.

1758

19. Januar: Auf L.s Drängen beendet Kleist sein erstes Trauerspiel *Seneca.*

21. Januar: L rät Nicolai, dem Frh. von Cronegk für seinen *Kodrus,* den ausgesetzten Preis zuzuerkennen; da Cronegk inzwischen verstorben sei, könne für das kommende Jahr der doppelte Betrag ausgesetzt werden. »Unterdeß würde mein junger Tragikus fertig, von dem ich mir, *nach meiner Eitelkeit,* viel Gutes verspreche; denn er arbeitet ziemlich wie ich [...] Sein jetziges Sujet ist eine bürgerliche Virginia, der er den Titel *Emilia Galotti* gegeben.« – Mit Bezug auf seine vernichtende Kritik an Christian Gottlieb Lieberkühns *Theokrit (Bibliothek II, 2)* schreibt er: »In Ansehung der alten Schriftsteller, bin ich ein wahrer irrender Ritter; die Galle läuft mir gleich über, wenn ich sehe, daß man sie so jämmerlich mißhandelt.«

6. Februar: Die Ausgabe von Gleims Grenadierliedern vorbereitend liest L das *Heldenbuch,* eine 1491 erschienene Sammlung deutscher Heldensagen, und »die zwey so genannten Heldengedichte aus dem Schwäbischen Jahrhunderte [...], welche die Schweizer jetzt herausgegeben haben«. J. J. Bodmers Ausgabe *Chriemhildens Rache* und *Die Klage* waren 1757 in Zürich erschienen.

18. Februar: L beschreibt Mendelssohn seinen Plan zu einer *Kodrus*-Tragödie. Auch das *Kleonnis*-Fragment stammt vermutlich aus dieser Zeit.

23. Februar: L beginnt seine kritischen Anmerkungen *Über das Heldenbuch* zu sammeln.

3. April: Kleists Regiment erhält Befehl, zur Armee des Prinzen Heinrich nach Zwickau zu marschieren. Kleist überläßt Gleim die Verwaltung seines Vermögens und beauftragt ihn, Ramler und Lessing je 100 Taler auszuzahlen.

8. Mai: Mit dem Buchhändler Voß reist L nach Berlin. Weiße übernimmt die Korrekturen der *Bibliothek.* – L zieht in die Heiligen Geiststraße in die Nähe von Ramler.

Anfang Juni: Kleist, der sich nach Schlachten sehnte – in Leipzig hatte er sich um das Lazarett und die Eintreibung von Kontributionen zu kümmern – verläßt mit dem Hausenschen Regiment die Stadt.

8. Juli: L an Gleim: »Herr Rammler und ich, machen Projecte über Projecte. Warten Sie nur noch ein Vierteljahrhundert, und Sie sollen erstaunen, was wir alles werden geschrieben haben. Besonders ich! Ich schreibe Tag und Nacht und mein kleinster Vorsatz ist jetzo, wenigstens noch dreymal so viele Schauspiele zu machen, als Lope de Vega. Ehstens werde ich meinen *Doctor Faust* hier spielen laßen.« Zu den erwähnten Projekten gehören sicherlich die Ausgabe von Logaus *Sinngedichten* und der Plan zu einem *Deutschen Wörterbuch.* Zusammen mit Ramler und Mendelssohn ist L häufiger Gast in der »Baumannshöhle«, einem Weinlokal in der Brüderstraße. Im literarischen »Montagsklub« und einem neuen, von Sulzer mitgegründeten »Freitagsklub« trifft er alte und neue Freunde.

6. August: L quittiert 100 Taler, die ihm Gleim auf Kleists dringende Bitte endlich geschickt hat.

11. August: L schickt Gleim die *Preußische[n] Kriegslieder in den Feldzügen 1756 und 1757 von einem Grenadier.* L hatte ihre Entstehung mit wohlwollender Kritik begleitet und eine Vorrede verfaßt.

16. Dezember: Verärgert über Gleims Chauvinismus kritisiert L den neuesten Schlachtgesang des Grenadiers. »Der *Patriot* überschreyet den Dichter zu sehr, und noch dazu so ein soldatischer Patriot, der sich auf Beschuldigungen stützet, die nichts weniger als erwiesen sind! Vielleicht zwar ist auch der Patriot bey mir nicht ganz erstickt, obgleich das Lob eines eifrigen Patrioten, nach meiner Denkungsart, das allerletzte ist, wonach ich geitzen würde; des Patrioten nehmlich, der mich vergeßen lehrt, daß ich ein Weltbürger seyn sollte.«

September: Nicolai übernimmt nach dem Tode seines älteren Bruders wieder die Buchhandlung.

Oktober: L gibt Kleists Heldenepos *Cissides und Paches* heraus.

November: Zusammen mit Nicolai plant L eine neue kritische literarische Wochenschrift: L arbeitet an den ersten *Briefen, die neueste Litteratur betreffend.*

1759

Anfang Januar: Weiße übernimmt die Herausgabe der weiter in Leipzig verlegten *Bibliothek.*

4. Januar: Der erste der *Briefe, die neueste Litteratur betreffend* erscheint bei Nicolai. Die Verfasser – zunächst ausschließlich L, Mendelssohn soll philosophische Artikel beitragen, Nicolai nur in dringlichen Fällen mitarbeiten – bleiben

Briefe
die
Neueste Litteratur
betreffend.

ΟΜΗΡΟϹ

Iter Theil.

Berlin 1759.
Bey Friedrich Nicolai.

anonym. Der fiktive Empfänger von L.s Briefen ist ein in der Schlacht bei Zorndorf verwundeter Offizier.

16. Februar: Im *17. Literaturbrief* liefert L seine bisher schärfste Attacke gegen Gottsched, indem er ihm jegliches Verdienst um die deutsche Bühne abspricht. »Er hätte aus unsern alten dramatischen Stücken, welche er vertrieb, hinlänglich abmerken können, daß wir mehr in den Geschmack der Engländer, als der Franzosen einschlagen.« Er stellt Shakespeare über Corneille und Voltaire und druckt zur Illustration eine Szene seines eigenen Faust-Dramas, das er als »einen alten Entwurf dieses Trauerspiels« ausgibt. (LM VIII, 42).

18. März: L schickt sein soeben bei Voß erschienenes Trauerspiel *Philotas* an Gleim und bittet, ohne sich als Verfasser zu identifizieren, um sein Urteil. – Das Stück wurde vermutlich bereits im Vorjahr, als sich L mit mehreren Trauerspielentwürfen befaßte, abgeschlossen.

31. März: L lehnt Gleims Vorschlag, eine neue Opitz-Ausgabe vorzubereiten, ab. »Die Schweitzerische und Trillersche Ausgaben liegen noch allzuhäuffig in den Läden ... Sobald wir [i.e. L und Ramler] mit unserm Logau fertig sind, soll es mit vereinten Kräften über den *Tscherning* hergehen.«

Ostern: Das 4. und letzte Stück der *Theatralischen Bibliothek* erscheint. Es bringt F. Nicolais *Geschichte der englischen Schaubühne,* L.s Aufsatz *Von Johann Dryden und dessen dramatischen Werken* und, als »ein Magazin für unsere komische[n] Dichter«, *Entwürfe ungedruckter Lustspiele des italiänischen Theaters.*

12. Mai: Gleim hat den *Philotas* im Stil des Grenadiers versifiziert und mit kräftigen, patriotischen Farben versehen. L bedankt sich mit feiner Ironie. »Sie haben ihn zu dem ihrigen gemacht, und der ungenannte prosaische Verfaßer kann sich wenig oder nichts davon zueignen.«

Mai: *Friedrichs von Logau Sinngedichte. Zwölf Bücher. Mit Anmerkungen über die Sprache des Dichters herausgegeben von C. W. Ramler und G. E. Lessing,* erscheinen in Leipzig. L hatte Auswahl und »Ausfeilung« (i.e. die rigorose Umschreibung) der Texte Ramler überlassen, Vorwort und Glossar sind seine Arbeit.

12. Juni: L teilt seinem Vater mit, daß er seine in Wittenberg und Leipzig studierenden Brüder Gottlob und Gottfried nicht unterstützen kann; weiter, daß er versucht hat, Näheres über seinen jüngsten Bruder zu erfahren. – Erdmann war als Offiziersbursche mit den Sachsen nach Polen durchgebrannt.

Sommer: L arbeitet in einem gemieteten Gartenhaus in Berlin.

20. Juli: Gleim, der inzwischen den Namen des *Philotas*-Verfassers erfahren hat, bedankt sich bei L mit einem Fäßchen Rheinwein.

26. Juli-16. August: Die *Literaturbriefe* bringen eine ausführliche Kritik des *Nordischen Aufsehers* (Hrsg. v. Johann Andreas Cramer, Kopenhagen und Leipzig 1758); L wendet sich spezifisch gegen die dort vertretene neumodische Theologie: »Die Orthodoxie ist ein Gespötte worden; man begnügt sich mit einer lieblichen Quintessenz, die man aus dem Christenthume gezogen hat, und weichet allem Verdachte der Freydenkerey aus, wenn man von der Religion überhaupt nur fein enthusiastisch zu schwatzen weis.« (LM VIII, 127)

5. August: L arbeitet ein paar Szenen eines älteren Trauerspielentwurfs, *Fatime,* aus: als Fragment im *Nachlaß* abgedruckt.

12. August: Die Preußen werden bei Kunersdorf von einem russischen Heer geschlagen. Kleist erleidet schwere Verletzungen und gerät in russische Gefangenschaft.

24. August: Kleist stirbt an den Folgen seiner Verwundungen in Frankfurt a.d. Oder.

6. September: L bestätigt Gleim den Tod seines Freundes. »Er hatte drey, vier Wunden schon; warum ging er nicht? Es haben sich Generals mit wenigern, und kleinern Wunden unschimpflich bey Seite gemacht. Er hat sterben *wollen.* Vergeben Sie mir, wenn ich ihm zu viel thue.«

23. Oktober: Gleim erhält *Gotthold Ephraim Lessings Fabeln. Drei Bücher Nebst Abhandlungen mit dieser Dichtung verwandten Inhalts.* (Berlin: Voß)

30. Dezember: L schickt seine *Fabeln* an den Rigaer Professor und Prediger Johann Gotthelf Lindner mit der Bemerkung: »Sie werden finden, daß ich mein vornehmstes Augenmerk dabey mit auf die Schulen gerichtet habe. Und wer wird es mir beßer sagen können, als Sie, ob meine Einfälle in dieser Absicht tauglich und ersprießlich seyn können.«

Gotthold Ephraim Leſſings

Fabeln.

Drey Bücher.

Nebſt Abhandlungen mit dieſer Dichtungsart verwandten Inhalts.

Berlin,

bey Chriſtian Friedrich Voß 1759.

1760

21. Februar: Auf Gleims Bitte bereitet L den Druck des versifizierten *Philotas* vor.

April: L arbeitet an einem auf mehrere Bände geplanten Werk über Sophokles und beabsichtigt, seine Fabeln verändert und vermehrt neu aufzulegen. (Das Fragment *Sophocles. Erstes Buch. Von dem Leben des Dichters* wurde 1790 von J. J. Eschenburg herausgegeben).

13. April: L schickt Gleim: *Philotas. Ein Trauerspiel von dem Verf. der preußischen Kriegslieder versificiert.*

April: L.s jüngster Bruder Erdmann stirbt mit 19 Jahren in einem Warschauer Lazarett.

Ostern: L.s Übersetzung *Das Theater des Herrn Diderot* erscheint; es enthält den *Natürlichen Sohn*, den *Hausvater* und die Abhandlung *Von der dramatischen Dichtkunst.* In seiner Vorrede versichert L, »daß sich, nach dem Aristoteles, kein philosophischerer Geist mit dem Theater abgegeben hat, als Er«. (LM VIII, 286).

29. August: Bis zum 4. September beherbergt L seinen Bruder Gottlob, Student der Jurisprudenz in Wittenberg.

18. September: Mit Parodien auf L.s Fabeln provoziert Bodmer eine vernichtende Kritik L.s (im *127. Literaturbrief*). Das Verhältnis zu Sulzer, einem Verehrer Bodmers, kühlt ab.

25. September: Mit dem Abschluß des 1. Teiles der *Literaturbriefe* zieht sich L von dem Unternehmen zurück. Sein Nachfolger wird Thomas Abbt (1738-66), der die Zeitschrift mit Hilfe Nicolais, Mendelssohns u. a. bis zum 4. 7. 65 weiterführt.

8. Oktober: Berlin wird (bis zum 12. 10.) von russischen und österreichischen Truppen besetzt.

23. Oktober: L wird gegen Sulzers Stimme zum auswärtigen Mitglied der Berliner Akademie der Wissenschaften gewählt.

7. November: Ohne sich von seinen Freunden zu verabschieden, verläßt L Berlin. Er besucht Kleists Grab in Frankfurt a.d. Oder und reist nach Breslau, wo er beim General von Tauentzien die Stellung eines Gouvernementsekretärs übernimmt. Durch Kleist hatte er v. Tauentzien bereits 1758 in Leipzig kennengelernt.

6. Dezember: L an Ramler: »Sie werden sich vielleicht über meinen Entschluß [nach Breslau zu gehen] wundern. Die Wahrheit zu gestehen, ich habe jeden Tag wenigstens eine Viertelstunde, wo ich mich selbst darüber wundere.« Er bittet Ramler, für ihn seine Berliner Wohnung zu kündigen.

1761

30. März: L scheint seinen Schritt zu bereuen; er schreibt an Mendelssohn: »Ich hätte mir es vorstellen sollen und können, daß unbedeutende Beschäftigungen mehr ermüden müßten, als das anstrengendste Studieren; daß in dem Zirkel, in welchen ich mich hineinzaubern lassen, erlogene Vergnügungen und Zerstreuungen über Zerstreuungen die stumpf gewordene Seele zerrütten würden; [...] Hundertmahl habe ich schon den Einfall gehabt, mich mit Gewalt aus dieser Verbindung zu reißen. Doch kann man einen unbesonnenen Streich mit dem andern wieder gut machen?«
Über L.s Leben in Breslau berichtet der ihm befreundete Rektor des Magdalenen-Gymnasiums Johann Benjamin Klose (1734-98): »Er widmete die Stunden, welche ihm seine Amtsgeschäfte, die er Vormittags verrichtete, übrig ließen, der Gesellschaft und den Wissenschaften. Sobald er vom General von Tische kam, welches gewöhnlich um vier Uhr war, ging er entweder in einen Buchladen oder in eine Auktion, meistentheils aber nach Hause. Hier kamen gewöhnlich Personen, in Angelegenheiten, seiner Hülfe und Unterstützung bedürftig, zu ihm, die er bald abfertigte, um sich durch Unterredungen, die Litteratur und Wissenschaften betreffend, zu erholen. [...] Fast täglich ging er nach sechs gegen sieben Uhr in das Theater, und von da mehrentheils, ohne das Stück ausgehört zu haben, in die Spielgesellschaft, von wo er spät nach Hause zurückkehrte.« (KG 241 f.).
Mit Unterstützung seiner gelehrten Freunde Klose und Johann Kaspar Arletius (1707-84), beide unterrichten am Magdaleneum, legt L eine umfangreiche Bibliothek an. Sie umfaßt am Ende seiner Breslauer Zeit ca. 6000 Bände.
Sein leidenschaftliches Pharo-Spiel rechtfertigt L in einem durch K. G. Lessing überlieferten Gespräch: »Wenn ich kaltblütig spielte, würde ich gar nicht spielen; ich spiele aber aus Grunde so leidenschaftlich. Die heftige Bewegung setzt meine

stockende Maschine in Thätigkeit, und bringt die Säfte in Umlauf; sie befreyet mich von einer körperlichen Angst, die ich zuweilen leide.« (KG 222f.).

1762

30. Mai: L wehrt sich in komischer Verzweiflung gegen eine Erbschaft, die ihm seine Berliner Wirtin hinterlassen hat. Er schreibt weiter: »Ich bin meiner jetzigen Situation so überdrüßig, als ich noch einer in der Welt gewesen bin. Nur bald Friede, oder ich halte es nicht länger aus!« (An Ramler).

Juli: Dem General v. Tauentzien wird die Belagerung von Schweidnitz aufgetragen. L begleitet ihn.

9. Oktober: Schweidnitz fällt. L bezieht mit v. Tauentzien Quartier in Peile.

22. Oktober: L beauftragt Nicolai, auf einer Auktion eine Reihe von Büchern zu kaufen.

1763

15. Februar: Der Frieden von Hubertusburg wird geschlossen. Im offiziellen Auftrag verkündigt ihn L feierlich der Stadt Breslau.

18. März: Aus Schweidnitz korrespondiert L mit dem Breslauer Kommandanten wegen des Austausches der österreichischen Kriegsgefangenen.

17. April: Kritik an Mendelssohns Versuch, in seinen *Philosophischen Schriften* (1755) Leibniz' Harmonielehre auf Spinoza zurückzuführen.

Mitte Juli: L begleitet v. Tauentzien nach Potsdam.

20. Juli: L rät Nicolai, die *Literaturbriefe* aufzugeben. »Lieber daß sie itzt noch bey ziemlich gesundem Körper sterben, als von Stümpern in einem schwindsüchtigen elenden Leben erhalten werden.«

21. Juli: L besucht Bekannte in Berlin; trifft aber Ramler, Nicolai und Mendelssohn nicht an.

4. August: L schickt seinen Bruder Gottlob, der ihn unerwartet in Potsdam besucht hat, mit 170 Talern nach Kamenz zurück. Das Geld ist zur Unterstützung seiner noch studierenden Brüder Gottlob und Karl gedacht.

1. Oktober: v. Tauentzien ist zum Gouverneur von Schlesien ernannt worden; er kehrt mit L, dessen Hoffnung auf Beförderung sich nicht erfüllt hat, nach Breslau zurück.
Die Vorarbeiten zum *Laokoon* beginnen. L plant, verschiedene kritische und antiquarische Aufsätze unter dem Titel *Hermaea* drucken zu lassen.
Aus dieser Zeit stammt vermutlich der Entwurf zu einem Lustspiel *Die Witzlinge.*

30. November: L scheint bereit, sich aus seinen Breslauer Verhältnissen zu lösen. Seinem Vater, der ihn mehrfach und dringlich um finanzielle Unterstützung bittet, schreibt er, er sei durchaus noch nicht »in Breslau etabliert [...] Ich warte nur noch einen einzigen Umstand ab, und wo dieser nicht nach meinem Willen ausfällt, so kehre ich zu meiner alten Lebens Art wieder zurück. Ich hoffe ohnedem nicht, daß Sie mir zutrauen werden, als hätte ich mein Studieren am Nagel gehangen, und wolle mich bloß elenden Beschäftigungen de pane lucrando widmen.«
Klose berichtet von L.s Plänen, eine Zeitlang in der Wiener Bibliothek zu arbeiten: »... von da wollte er nach Italien reisen, und die Antiken studiren, vor allen Dingen aber war sein Lieblingsgedanke Griechenland, um die klassischen Gegenden und die noch übrig gebliebenen Denkmahle dieses in seiner Art einzigen Volks näher kennen zu lernen.« (KG 247).

Winter: Beschäftigung mit J. J. Winckelmanns *Gedanken über die Nachahmung der griechischen Werke in der Malerei und Bildhauerkunst* (1755) und seiner soeben erschienenen *Geschichte der Kunst des Altertums.*
Dramatische Entwürfe und Pläne: *Alcibiades, D. Faust* (vermutlich eine von der 1759 konzipierten verschiedene Version).

Dezember: L lädt seinen Bruder Karl ein, Ostern nach Breslau zu kommen.

1764

4. Januar: L.s Bruder Gottfried Benjamin stirbt im Alter von 28 Jahren.

Frühjahr: L arbeitet im Göldnerschen Gartenhaus im Bürgerwerder von Breslau. Hier entsteht der Entwurf zur *Minna von Barnhelm.*

13. Juni: Einladung an seinen Bruder Theophilus, auf längere Zeit nach Breslau zu kommen.

Sommer: Theophilus in Breslau.

5. August: L berichtet Ramler von einer überstandenen gefährlichen Krankheit. »Die ernstliche Epoche meines Lebens nahet heran; ich beginne ein Mann zu werden, und schmeichle mir, daß ich in diesem hitzigen Fieber den letzten Rest meiner jugendlichen Thorheiten verraset habe. Glückliche Krankheit! Ihre Liebe wünschet mich gesund; aber sollten sich wohl Dichter eine athletische Gesundheit wünschen?«

20. August: »Ich war vor meiner Krankheit in einem train zu arbeiten, in dem ich selten gewesen bin. Noch kann ich nicht wieder hineinkommen [...] Ich brenne vor Begierde, die letzte Hand an meine *Minna von Barnhelm* zu legen.« (An Ramler)

12. Oktober: L teilt dem Vater seinen Entschluß mit, die Stellung bei Tauentzien aufzugeben. »Ich habe die dringendsten Ursachen dazu; und ob ich schon eben noch nicht weis, was ich sodann anfangen werde, so bin ich doch im geringsten nicht verlegen, auf eine oder die andere Weise mein Auskommen zu haben.«

13. Oktober: L gewinnt seinen Prozeß gegen Winkler: ihm werden 600 Taler zugesprochen; allerdings verschlingen die Prozeßkosten die Hälfte der Summe.

Winter: Studien zur Kirchengeschichte (Justinus Martyr) und zu Spinoza, den Pierre Bayle (1647-1706) am wenigsten, Johann Conrad Dippel (1673-1734), ein Arzt und mystischer Theologe, am tiefsten verstanden habe. (KG 246).

1765

Januar: L plant seine Abreise nach Berlin und bittet seinen Bruder Karl, seinen Besuch zu verschieben.

21. Februar: Die Stelle des Bibliothekars der Königlichen Bibliothek in Berlin, in der bereits Kleist L gern gesehen hätte, ist neu zu besetzen. Als der Vorsitzende der Berufungskommission, C. T. Guichard, L vorschlägt, lehnt Friedrich II. ab.

Mitte April: L verläßt Breslau. Er besucht seine Eltern in Kamenz, die er seit neun Jahren nicht mehr gesehen hat. Die finanzielle Situation der Familie hat sich verschlechtert.

Ostern: Auf der Messe in Leipzig trifft L Weiße und Nicolai.

Mitte Mai: Zusammen mit Nicolai reist L nach Berlin. Er findet dort den größeren Teil seines Gepäcks, den er mit einem Diener von Breslau nach Berlin geschickt hatte, durch dessen »Nachlässigkeit und Untreue« in der größten Unordnung. Trotz der erheblichen Kosten, die ihm durch die neue Einrichtung entstehen, unterstützt er seinen Bruder Karl mit 50 Talern. (An den Vater, 4. 7.)

Juni: Die Stellung an der Königlichen Bibliothek wird J. J. Winckelmann angeboten. Zu seiner Gehaltsforderung von 2000 Talern, diese Summe war ihm als Maximalbetrag angedeutet worden, bemerkt Friedrich II. für einen Deutschen genüge die Hälfte. Winckelmann lehnt ab. Der Posten wurde mit einem unbedeutenden französischen Schriftsteller besetzt.

4. Juli: Der 332. und letzte der *Briefe, die neueste Litteratur betreffend* erscheint mit L.s Besprechung von Johann Nikolaus Meinhards *Versuche über den Charakter und die Werke der besten Italiänischen Dichter* (1763/4).
L plant eine Reise nach Dresden, wo er Aussicht auf Anstellung an der Kunstgalerie hat. Er möchte aber, so schreibt er dem Vater, »vorher noch etwas drucken laßen«, ohne welches seine Reise vergeblich sein werde. (4. 7.) Es scheint, daß er sich durch den Abschluß der Arbeit am *Laokoon,* die jetzt auch durch Gespräche mit Mendelssohn gefördert wird, u. a. als Kunsthistoriker auszuweisen gedenkt.

Herbst: Die Klagebriefe aus Kamenz häufen sich. L nimmt seinen Bruder Karl zu sich nach Berlin und verspricht dem Vater auf seine dringlichen Bitten, bis Weihnachten 200 Taler für ihn aufzubringen.

1766

Ostern: *Laokoon: oder über die Grenzen der Mahlerey und Poesie. Erster Theil.* erscheint bei Voß in Berlin. Bereits am 13. März kann L ein Exemplar an Gleim schicken.

9. Mai: Christian Adolf Klotz (1738-71), seit 1765 Professor der Beredsamkeit in Halle, macht L Komplimente über den *Laokoon* und bittet um seine Freundschaft.

9. Juni: Höfliche Antwort L.s an Klotz; er kündigt ihm seinen Besuch an.

Juni: Zusammen mit dem Major Leopold von Brenckenhoff reist Lessing nach Pyrmont. Begegnungen mit Justus Möser (1720-94) und Thomas Abbt (1738-66).

Juli: Die Rückreise von Pyrmont führt über Göttingen, wo L den Orientalisten J. D. Michaelis, den Romanisten Johann Andreas Dietze (1729-85) und seinen alten Leipziger Lehrer A. G. Kästner besucht, und über Halberstadt (Aufenthalt bei Gleim). Der angekündigte Besuch bei Klotz in Halle findet nicht statt.

16. August: J. J. Winckelmann, der inzwischen den *Laokoon* gelesen hatte, bewundert L.s Leistung. »Lessing, von dem ich leider nichts gesehen habe, schreibt, wie man geschrieben zu haben wünschen möchte [...] Wie es rühmlich ist, von rühmlichen Leuten gelobt [zu] werden, kann es auch rühmlich werden ihrer Beurtheilung würdig geachtet zu seyn.« (An von Schlabrendorf) Diese Äußerung wird bekannt, Gleim teilt sie L mit. (W 64f.).

11. Oktober: C. A. Klotz kündigt L seinen Besuch in Berlin an und schickt ihm seine ungemein freundliche, aber sachlich leere Rezension des *Laokoon.* L reagiert weder auf das eine noch auf das andere.

24. Oktober: In Hamburg wird durch zwölf wohlhabende Bürger ein »Deutsches Nationaltheater« begründet.

4. November: Friedrich Löwen (1727-71), Direktor des neuen Hamburger Theaters, bittet Nicolai, L als Dramaturgen für Hamburg zu gewinnen.

Anfang Dezember: L reist nach Hamburg.

12. Dezember: Gottsched stirbt im Alter von 66 Jahren in Leipzig.

22. Dezember: L berichtet seinem Bruder Karl: »Ich kann Dir nur erst so viel melden, daß die bewußte Sache, derentwegen ich hauptsächlich hier bin, einen sehr guten Gang nimmt, und daß es nur auf mich ankömmt, sie mit den vortheilhaftesten Bedingungen zu schließen.« Im übrigen bittet er ihn, die Berliner Wohnung zu kündigen: »Es mag mit mir werden, wie es will in Ansehung Hamburgs, so bleibe ich doch nicht über Ostern in Berlin.«

1767

Januar: Rückreise nach Berlin.

1. Februar: L an Gleim: »Ich habe allerdings mit dem dortigen neuen Theater, und den Entrepreneurs deßelben, eine Art von Abkommen getroffen, welches mir auf einige Jahre ein ruhiges und angenehmes Leben verspricht.« Er hatte sich verpflichtet, die Leiter des Unternehmens (F. Löwen und den Kaufmann Abel Seyler, 1730-1800) mit seinem Rat zu unterstützen und eine Theaterzeitschrift einzurichten. – Er beabsichtigt ebenfalls, mit Johann Bode (1720-93), der im Begriff ist, eine Druckerei in Hamburg aufzubauen, »gemeinschaftliche Sache zu machen«.
Ausarbeitung der *Minna von Barnhelm*; L läßt sich dabei von Ramler beraten; daneben ist er mit der Fortsetzung des *Laokoon* beschäftigt.
L.s Behauptung, jeder Gegenstand sei der theatralischen Bearbeitung fähig, arm sei ein Stoff nur, wenn es der Dichter sei, trägt ihm die Aufgabe ein, einen »Schlaftrunk« zu schreiben. – Das Fragment gebliebene Ergebnis erschien im *Nachlaß.*

Anfang April: L reist nach Hamburg. Er überläßt es seinem Bruder Karl, seine umfangreiche Bibliothek zu versteigern.

Ostern: *Minna von Barnhelm oder das Soldatenglück* erscheint im 2. Teil der *Lustspiele* bei Voß.

22. April: Das neue Hamburger Theater wird mit Cronegks *Olint und Sophronia* eröffnet. Das Ensemble bestand vorwiegend aus den Mitgliedern der Ackermannschen Truppe. Konrad Ernst Ackermann (1712-71) war als Prinzipal zurückgetreten und hatte der neuen »Theatervereinigung« sein Theater am Gänsemarkt auf zehn Jahre verpachtet.
Am Eröffnungstag wird die »Ankündigung« der *Hamburgischen Dramaturgie,* in Bodes und L.s Druckerei hergestellt, kostenlos verteilt: »Die Dramaturgie soll ein kritisches Register von allen aufzuführenden Stücken halten, und jeden Schritt begleiten, den die Kunst, sowohl des Dichters, als des Schauspielers, hier thun wird.« Die Zeitschrift soll ab Mai zweimal wöchentlich erscheinen. (LM IX, 183).

April (bis Ende August): Bode verreist, L übernimmt die Leitung der Druckerei.

Mai: In den Stücken 1-7 der *Hamburgischen Dramaturgie*

Minna von Barnhelm,

oder

das Soldatenglück.

Ein Lustspiel in fünf Aufzügen,

von

Gotthold Ephraim Lessing.

Berlin,

bey Christian Friederich Voß.

1767.

liefert L eine scharfe und umfassende Kritik von Cronegks Trauerspiel und seiner Aufführung.

22. Mai: L kommen Zweifel am Erfolg des neuen Theaterunternehmens. Seinem Bruder Karl schreibt er: »Mit unserm Theater (das im Vertrauen!) gehen eine Menge Dinge vor, die mir nicht anstehn. Es ist Uneinigkeit unter den Entrepreneurs, und keiner weiß, wer Koch oder Kellner ist.«

Frühjahr: Eine Reihe von L.s Stücken wird in Hamburg aufgeführt: *Der Schatz* (27. 3.), *Miß Sara Sampson* (6. 5.), *Der Freygeist* (12. 5.), nur mit *Minna von Barnhelm* gab es Schwierigkeiten. L berichtet: »Hier ist sie auf Ansuchen des [preußischen Gesandten] H. von Hecht zu spielen verbothen, und dieser sagt, daß er den Befehl dazu von Berlin erhalten.« (An Nicolai 4. 8. 67)

Juli: Klopstock besucht L in Hamburg.

24. Juli: Der Eifersüchteleien der Schauspieler wegen verzichtet L vom 25. Stück an auf jede Beurteilung der darstellerischen Leistungen.

August: Zwei nichtautorisierte Nachdrucke, der *Dramaturgie,* auf die Nicolai L aufmerksam macht, zwingen ihn, Erscheinungsdaten und -format zu ändern.

Herbst: Arbeit an verschiedenen dramatischen Entwürfen: *Die Matrone von Ephesus. Der Schlaftrunk, D. Faust;* Pläne zu einem »Philoktet« und einer »Arabella«.

Anfang September: Heinrich Christian Boie (1744-1806), der im gleichen Jahr Redakteur der Hamburger Monatsschrift *Unterhaltungen* wird, besucht L.

23. September: Uraufführung der *Minna von Barnhelm.* Ekhof in der Rolle des Tellheim, mäßiger Erfolg.

Oktober: Das Hamburger Theaterunternehmen gerät in finanzielle Schwierigkeiten. Um ein größeres Publikum anzuziehen, werden Harlekinaden, Ballette und Luftspringer eingeführt.

Dezember: Mit Bode plant L eine Monatsschrift, mit dem Titel *Deutsches Museum,* die u. a. eine gerechtere Verteilung des Gewinns zwischen Autor und Verleger zum Ziel hat.

4. Dezember: Das Hamburger Theater gibt seine letzte Vorstellung. Durch die Apathie des Publikums und durch die Konkurrenz einer französischen Truppe war die Lage unhaltbar geworden: Das Ensemble ging auf eine viermonatige

Gastspielreise nach Hannover. L bleibt in Hamburg und setzt die *Dramaturgie* fort.

Winter: Zu dem ausgedehnten Bekanntenkreis L.s gehören u. a. der orthodoxe Hauptpastor Johann Melchior Goeze (1717-86) und der liberale Pastor Julius Gustav Alberti (1723-72); im Hause des Seidenhändlers Engelbert König (1728-69) lernt er seine spätere Frau Eva König kennen, im Hause des Philologen Hermann Samuel Reimarus (1694-1768) gewinnt er das Vertrauen der Kinder: des Arztes Johann Albert Heinrich Reimarus (1729-1814) und dessen Schwester Elise (1735-1805); er lernt den Musikdirektor der Hamburger Kirchen, Carl Philipp Emanuel Bach (1714-88), und den Braunschweiger Professor Johann Arnold Ebert (1723-95) kennen.

1768

2. Februar: L verteidigt sich gegen Nicolais Spott »über die Buchdrucker Bode und Lessing«: »Für das [Deutsche Museum] sollen Sie nun wohl Respect bekommen; nachdem wir Klopstocks Herrmann, dessen Oden und Abhandlungen über das Sylbenmaß der Alten, Gerstenbergs Ugolino, ein Lustspiel von Zachariä, und ich weiß selbst nicht, wie viel andere schöne Sachen, dazu erhalten haben.«

24. Februar: Nicolai beklagt sich bei L über C. A. Klotz. »Er sticht auch *Sie* beständig an, so wie *mich* und die *deutsche Bibl.* [...] Wagen Sie es also nur immer, und versuchen Sie, ob Sie ein Litteraturbriefchen schreiben können.«

25. Februar: L schickt Heinrich Wilhelm von Gerstenberg (1737-1823) eine ausführliche Kritik seines *Ugolino* (1768). Sie wurde 1805 durch Goethe in der *Jenaischen Allgem. Literatur-Zeitung* abgedruckt.

1. März: Hermann Samuel Reimarus stirbt im Alter von 72 Jahren.

20. März: L bedauert, weder seinem Vater, der um 100 Taler, noch seinem Bruder Theophilus, der um Anstellung als Korrektor gebeten hatte, helfen zu können. »Alles was ich noch gehabt, steckt in der Entreprise [...] zu der ich noch dazu fremdes Geld aufnehmen müßen, das mich sehr drückt.«

21. März-6. April: *Minna von Barnhelm* wird mit großem Erfolg durch die Döbbelinsche Truppe in Berlin aufgeführt und zehnmal wiederholt.

19. April: Datum des letzten Stückes der *Dramaturgie*; wie die letzten 20 Stücke erscheint es erst in der zweibändigen Ausgabe zu Ostern 1769. Bitter kommentiert L: »Ueber den gutherzigen Einfall, den Deutschen ein Nationaltheater zu verschaffen, da wir Deutsche noch keine Nation sind! Ich rede nicht von der politischen Verfassung, sondern blos von dem sittlichen Charakter. Fast sollte man sagen, dieser sey: Keinen eigenen haben zu wollen.« (LM X, 213)

1. Mai: Auf der Messe in Leipzig trifft L Nicolai und Voß.

13. Mai: Das Hamburger Ensemble kehrt aus Hannover zurück. Die Aufführungen werden bis November unter Ekhofs Leitung fortgesetzt, dann übernimmt Ackermann wieder das Unternehmen.

8. Juni: J. J. Winckelmann wird in Triest ermordet.

9. Juni: Beschäftigung mit der zur Ostermesse erschienenen Klotzschen Schrift *Über den Nutzen und Gebrauch der alten geschnittenen Steine*: »[es] ist die elendeste und unverschämteste Compilation aus Lippert und Winkelmann, die er öfters gar nicht verstanden hat; und alles was er von dem Seinigen dazu gethan, ist jämmerlich.« (An Nicolai, 9. 6.) – Zur Widerlegung einer »Klotzschen Entdeckung« (in seiner Vorrede zu einer Abhandlung des Grafen von Caylus) plant L eine Schrift *Ueber die Ahnenbilder der alten Römer*, die Nicolai verlegen soll. (Sie erschien als Fragment im Nachlaß.)

20. und 22. Juni: L wendet sich in der *Hamburgischen Neuen Ztg.* und im *Correspondenten* in schärfster Form gegen eine Rezension von Klotz' Schrift *Über den Nutzen* etc., indem er gegen den Rezensenten (Johann Jakob Dusch) polemisiert und dem Verfasser (Klotz) Inkompetenz nachweist. Diese »Kriegserklärung gegen Hrn. Klotz« ist der erste der *Briefe, antiquarischen Inhalts.*

Sommer: Bode, der die Übersetzung französischer Stücke aufgegeben hatte, arbeitet auf L.s Rat und mit seiner Hilfe an einer Übertragung von Laurence Sternes *Sentimental Journey through France and Italy* (1768). »Bemerken Sie sodann, daß *sentimental* ein neues Wort ist. War es Sternen erlaubt, sich ein neues Wort zu bilden: so muß es eben darum auch seinem Übersetzer erlaubt seyn. [...] Wagen Sie, *empfindsam*!«

4. Juli: L liest in der *Hamb. Neuen Ztg.* die Nachricht vom Tod Winckelmanns.

5. Juli: An Nicolai: »Das ist seit kurzem der zweyte

Schriftsteller, dem ich mit Vergnügen ein Paar Jahre von meinem Leben geschenkt hätte.« Der von L bewunderte Laurence Sterne war wenige Monate vorher gestorben.

Ende Juli: Der zweite bis fünfte der gegen Klotz gerichteten *Briefe* erscheint in der *Hamb. Neuen Ztg.*

2. August: Die fehlerhafte Apollodor-Übersetzung des mit Klotz befreundeten Johann Georg Meusel benutzt L, um den Übersetzer, vor allem aber den wohlwollenden Vorredner Klotz, bloßzustellen.

24. September: Karl soll den Berliner Theaterdirektor Schuch einladen, mit seiner Truppe im Winter in Hamburg zu gastieren; weiter teilt L seinem Bruder und den Berliner Freunden mit, er gehe im Februar nach Rom. Die Auktion seiner Bücher ist auf den 16. Januar festgelegt.

28. September: An Nicolai: »Was ich in Rom will, werde ich Ihnen aus Rom schreiben. Von hier aus kann ich Ihnen nur so viel sagen, daß ich in Rom wenigstens eben so viel zu suchen und zu erwarten habe, als an einem Orte in Deutschland.«

Ende September: Zur Michaelismesse erscheint der erste Teil der *Briefe, antiquarischen Inhalts* (bei Nicolai), in denen sich L u. a. auch gegen den Vorwurf verteidigt, den Borghesischen Fechter mit einer florentinischen Statue verwechselt zu haben. Verfasser der anonymen Kritik in den *Göttingischen Anzeigen* war Christian Gottlob Heyne.

17. Oktober: C. G. Heyne bedauert die Form seiner Kritik: Beginn einer sachlichen Auseinandersetzung über den strittigen Punkt.

Oktober: J. A. Ebert, den L ebenfalls von seiner geplanten Italienreise unterrichtet hatte, hat diese Nachricht an den Braunschweiger Erbprinzen Karl Wilhelm Ferdinand (1735-1806) weitergegeben. – Durch Eberts Vermittlung lernt L Johann Joachim Eschenburg (1743-1820), damals Hofmeister am Carolinum in Braunschweig kennen; freundschaftlicher Verkehr auch mit Matthias Claudius (1740-1815).

21. Oktober: Klopstock, den L in Hamburg nun auch als guten Schachspieler kennengelernt hatte, trug sich mit dem Plan, in Wien eine Deutsche Akademie für Kunst und Wissenschaft unter der Schutzherrschaft Kaiser Josephs II. zu gründen. Zu den wenigen Eingeweihten gehörte, bereits seit 1767 L, der Nicolai auf der Leipziger Messe davon verständigt hatte. Jetzt schreibt er: Klopstocks »Herrmann wird nun gedruckt, und zwar in einer Absicht, die für seinen Ruhm eine zweyte Messiade werden kann, wenn sie ihm gelingt. Aber dieses Räthsel muß zur Zeit noch unter unsern Freunden bleiben, so Räthsel, als es ist.«

28. Oktober: Weiter fest entschlossen, nach Italien zu gehen, schreibt er seinem Bruder Karl: »Meine Sudeleyen von entworfenen Komödien könnte ich Dir leicht geben; aber Du würdest sie sicherlich nicht nutzen können. Ich weiß oft selbst nicht mehr, was ich damit gewollt. Ich habe mich immer sehr kurz gefaßt, und mich auf mein Gedächtnis verlassen, von welchem ich mich nunmehr betrogen sehe.«

1769

Januar: In einem achtungsvollen aber anonymen Brief kündigt Johann Gottfried Herder (1744-1803) L das Erscheinen seiner *Kritischen Wälder* an, deren erster L.s *Laokoon* gewidmet ist. »Jedes Wort sei verbannt, was einen Lessing beleidigen wollte; allein jedes Wort werde auch um so schärfer geprüft, was ein Lessing sagt, denn wie viel hat der nicht Nachsager.«

Februar: Versteigerung eines Teils von L.s Büchern in Hamburg: das Ergebnis ist enttäuschend. L löst sich aus dem Geschäftsverhältnis mit Bode.

13. April: An Nicolai: »Noch hat sich keiner, auch nicht einmal Herder, träumen lassen, wo ich [im *Laokoon*] hinaus will. […] Der Verfasser [Herder hatte seine Verfasserschaft der *Krit. Wälder* bestritten] sey indeß, wer er wolle: so ist er doch der einzige, um den es mir der Mühe lohnt, mit meinem Krame ganz an den Tag zu kommen.« Ferner erwähnt L, ihm seien aus Wien »sehr ansehnliche Vorschläge« gemacht worden, die das Theater beträfen, auf die er aber wohl kaum eingehen werde.

April: Der zweite Band der *Hamburgischen Dramaturgie* erscheint zur Ostermesse.

Mai: L bereitet den Druck des zweiten Teils der *Briefe, antiquarischen Inhalts* vor und plant einen dritten Teil zum *Laokoon.*

Hamburgische Dramaturgie.

Erster Band.

Hamburg.

In Commission bey J. H. Cramer, in Bremen.

30. Juni: Die Italienreise wird weiter aufgeschoben, L möchte vorher »gewisse Dinge aus Wien« abwarten.

Sommer: L.s finanzielle Lage verschlechtert sich; er empfindet es als besonders bedrückend, seinen Eltern nicht helfen zu können.

25. August: Nicolais spöttische Bemerkung, er hoffe, daß mit der Akademie »auch zugleich Freyheit zu denken daselbst [in Wien] eingeführt werde«, provoziert L.s vehementen Angriff auf Berlin und den preußischen Staat. »... sagen Sie mir von Ihrer Berlinischen Freyheit zu denken und zu schreiben ja nichts. Sie reduciert sich einzig und allein auf die Freyheit, gegen die Religion so viel Sottisen zu Markte zu bringen, als man will. [...] lassen Sie einen in Berlin auftreten, der für die Rechte der Unterthanen, der gegen Aussaugung und Despotismus seine Stimme erheben wollte [...] und Sie werden bald die Erfahrung haben, welches Land bis auf den heutigen Tag das sklavischste Land von Europa ist.«

September: Der zweite Teil der *Briefe, antiquarischen Inhalts* erscheint bei Nicolai; die Abhandlung *Wie die Alten den Tod gebildet*, bei Voß.

September: Durch Ebert wird L die Bibliothekarstelle an der herzoglichen Bibliothek in Wolfenbüttel angeboten.

11. Oktober: An Ebert: »Es ist auf alle Weise meine Schuldigkeit, nach Braunschweig zu kommen, um dem Erbprinzen in Person für die Gnade zu danken, die er für mich haben will; es mag davon so viel oder so wenig wirklich werden, als kann.«

30. Oktober: L korrespondiert mit Nicolai über das Recht auf Selbstverlag und die möglichen Vorteile für den Autor.

7. November: L verzögert den Besuch in Braunschweig: »Ich bin leider hier so tief eingenistet, daß ich mich gemächlich losreißen muß, wenn nicht hier und da ein Stücke Haut mit sitzen bleiben soll.« (An Ebert).

18. od. 20. November: L reist über Celle, wo er mit Seyler, einem der Direktoren des gescheiterten Theaterunternehmens, verhandelt, nach Braunschweig.

Dezember: L wird zum Bibliothekar ernannt mit einem Jahresgehalt von 600 Talern und freier Wohnung. Seine Reise nach Italien sollte gefördert und im Sinne seiner neuen Stellung genutzt werden.

Wie die Alten den Tod gebildet:

. . . . Nullique ea tristis imago!
STATIUS.

eine Untersuchung
von
Gotthold Ephraim Lessing.

Berlin, 1769.
Bey Christian Friedrich Voß.

9. Dezember: Der mit L befreundete Engelbert König stirbt auf einer Italienreise in Venedig.

20. Dezember: Rückkehr L's nach Hamburg.

1770

4. Januar: Finanzielle Sorgen verzögern den endgültigen Aufbruch nach Braunschweig. »Ich stecke hier in Schulden bis über die Ohren, und sehe schlechterdings noch nicht ab, wie ich mit Ehren wegkommen will.« (An Karl).

5. Januar: An Voß: »Das erste und vornehmste wird nun freylich der Laokoon seyn; aber doch möchte ich nun auch gern endlich einmal den übrigen Rest meiner Schriften wieder in das Publicum bringen.«

Mitte Januar: Die Nachricht von E. Königs Tod erreicht Hamburg.

Ende Februar und Anfang April: Auf dem Wege nach Frankreich und auf der Rückreise besucht Herder L in Hamburg. »Mit Lessing habe ich 14 vergnügte Tage gehabt und wacker umhergeschwärmt.« (Herder an Hartknoch, 29. 4. D 487).

Mitte April: Starker Schneefall und eine Erkrankung verzögern L's Aufbruch von Hamburg.

21. April: Längst erwartet trifft L endlich in Braunschweig ein.
Bekanntschaft mit Konrad Arnold Schmid (1716-89), Professor für Theologie, der mit der Herausgabe einer den Abendmahlsstreit im 11. Jhd. betreffenden Schrift *De veritate corporis et sanguinis Domini ad Berengarium epistola* beschäftigt ist.

7. Mai (Vormittags): L wird feierlich in sein Amt eingeführt. – Er bewohnt fünf Zimmer in dem sonst leeren herzoglichen Schloß.

7. Mai: An Ebert: »Ich bin Ihnen unter den Händen weggekommen. Aber es verlohnt auch wohl der Mühe, daß man Abschied nimmt, wenn man stirbt – oder von Braunschweig nach Wolfenbüttel reiset!«

14. Mai: Versteigerung von L.s Büchern in Hamburg. Die Wolfenbütteler Bibliothek kauft den *Mercure de France* (254 Bde.) und das *Journal des Savants* (255 Bde.).

17. Mai: An Nicolai: »Ich finde hier und in Braunschweig hundert Dinge und Bücher, die ich noch dazu [zum dritten Teil der *antiquarischen Briefe*] brauchen kann, so daß er aus ganz andern Augen sehen soll, und ich nicht nöthig habe, meine Pfeile nur immer gegen Klotzen und Riedeln zu richten.« ... »Auf Jahr und Tag werde ich sogar meine Reise aus den Gedanken verlieren.«

10. Juni: An Eva König: »Ich gehe nun schon heute den ganzen Abend in Gedanken mit Ihnen spazieren: und wenn es wirklich geschähe, was hätte ich Sie da nicht alles zu fragen! Ungefähr können Sie es errathen, und von so einer fertigen Briefschreiberinn, als Sie sind, kann ich es schon verlangen, daß sie mir ein Langes und Breites auf die errathenen Fragen antwortet.« Der Brief endet: »Leben Sie recht wohl, meine liebe Freundinn; und bedenken Sie fein, daß der Mensch nicht blos von geräuchertem Fleisch und Spargel, sondern, was mehr ist, von einem freundlichen Gespräche, mündlich oder schriftlich, lebet. Dero ganz ergebenster Lessing.«

Juni: In ihrer Antwort schreibt Eva König von einer Reise nach Pyrmont, wo sie ihren Bruder treffen wird. »Der V.[etter] sagt: über Braunschweig machten wir einen zu großen Umweg. Daß das alte Wolfenbüttel auch just so aus dem Wege liegt! Wäre mein Glaube stark genug, daß ich Berge versetzen könnte, so wollte ich Ihrem verwünschten Schlosse bald eine andere Stelle anweisen.«

Juni: Bekanntschaft mit Karl Wilhelm Jerusalem (1747-72), der als Assessor an der Justizkanzlei in Wolfenbüttel angestellt war.

Juni: In der Handschriftensammlung der Bibliothek entdeckt L eine mittellateinische Abschrift eines Werkes von Berengar von Tours über das hl. Abendmahl.

23. Juni: Nicolai berichtet: »Sie glauben gar nicht, wie sehr Sie hier und in Leipzig der Gegenstand aller Gespräche sind. Einer sagt: er wird sich nun ganz ins antiquarische Fach werfen, und Gott weiß, ob er nicht gar Lateinisch schreibt, um Klotzen wie den Hasen im Lager anzugreifen. Ein Anderer sagt: wer weiß, ob er länger als ein halbes Jahr in Wolfenbüttel bleibt; denn er muß nach Italien, und wenn er zu Fuße hingehen sollte. Noch ein Anderer: Nein! er muß erst seine Trauerspiele herausgeben, und hat drey oder vier Lustspiele fertig, die er auch drucken lassen wird. Wieder einer sagt. Nein! ans

Theater denkt er gar nicht mehr. Einer sagt: den Laokoon macht er fertig, so bald er Italien gesehen hat; ein Anderer: wenn er Italien gesehen hat, so wird er seinen Laokoon liegen lassen, und lauter Antiquität schreiben. Wieder ein Anderer sagt: ja da kennt ihr ihn noch nicht! er wird am Ende den ganzen Plunder von Antiquität wegwerfen [...] und ein System der Theologie wider die heutigen Socinianer schreiben. Sehen Sie, liebster Freund, so sind Sie in der Leute Mäulern.«

4. Juli: Der Vater beklagt sich, daß er nur aus gelehrten Zeitungen Nachrichten über L erfährt; im übrigen kann er berichten, daß Karl Assistent des Berliner Münzdirektors, Theophilus Konrektor in Pirne und Gottlob »an mehr denn einem Orthe Justitiarius« in Schlesien geworden ist.

19.-23. Juli: Auf der Rückreise von Pyrmont besucht Eva König zusammen mit ihrem Bruder, dem Utrechter Professor für Medizin Johann David Hahn, L in Braunschweig. Gleim, der seine Braunschweiger Freunde portraitieren läßt, ist ebenfalls anwesend.

Sommer: Arbeit am *Berengarius Turonensis*: »Es erläutert die Geschichte der Kirchenversammlungen des gedachten [11.] Jahrhunderts, die wider den Berengarius gehalten worden, ganz außerordentlich und enthält zugleich die unwidersprechlichsten Beweise, daß Berengarius vollkommen den nachherigen Lehrbegrif Lutheri von dem Abendmahle gehabt hat, und keines Wegs einer Meinung davon gewesen, die der Reformirten ihrer beykäme.« (An den Vater 27. 7.)

12. August: Eva König, in geschäftlichen Angelegenheiten unterwegs nach Wien, besucht L in Braunschweig.

22. August: L.s Vater stirbt im Alter von 77 Jahren.

8. September: An Theophilus: »Laß uns, mein lieber Bruder, eben so rechtschaffen leben, als er gelebt hat, um wünschen zu dürfen, eben so plötzlich zu sterben, als er gestorben ist.« Er bittet um eine Aufstellung der Schulden: »Ich nehme sie alle auf mich, und will sie alle ehrlich bezahlen; nur muß man mir Zeit laßen.«

9. September: K. A. Schmid hat bereits einige Druckbogen des *Berengarius Turonensis* gelesen.

September: Regelmäßige Korrespondenz mit Eva König über ihre Reiseerlebnisse, und mit K. A. Schmid über Berengar von Tours.

17. September: Der Kamenzer Stadtrath bewilligt L.s Mutter die Einkünfte ihres verstorbenen Mannes auf ein halbes Jahr.

28. September: Eva König in Wien.

Ende September: Zur Michaelismesse erscheint im Verlag der Buchhandlung des Braunschweiger Waisenhauses *Berengarius Turonensis oder Ankündigung eines wichtigen Werkes desselben* [etc.].

4. Oktober: Von Eva König: »Eben komme ich nach Hamburgischer Art um halb eins aus der Gesellschaft und finde Ihren Brief, den ich eilfertig erbreche, und ganz erstaunt werde, wie ich die Pulver sehe [der besorgte L hatte ihr ein Medikament geschickt] ... Ist was, das zu meiner Ermunterung, die Sie mir so fleißig empfehlen, beytragen kann, so ist es die Aufmerksamkeit, die Sie mir beweisen.«

13. Oktober: Von Herzog Karl von Braunschweig (1713-1780): »Was das [...] von Ihm eingesandte Werck betrift [L.s *Berengarius Turonensis*]; so ist mir solches von seinen Händen um so angenehmer gewesen, weil ich daraus mit vielem Vergnügen ersehen, daß Er es weder an Fleis noch Bemühung fehlen läßt, die Ihm anvertraute Bibliotheck berümter zu machen. Ich nehme dahero auch nicht den geringsten Anstand hiemit zu verstatten, daß die Berengarische Schrift gedruckt werde.«

21. Oktober: Mendelssohn auf Einladung des Erbprinzen in Braunschweig. Er hat, in Gesellschaft des Prinzen, Ebert kennengelernt, der L nach Wolfenbüttel berichtet: »Ich habe dem EP. [Erbprinzen] gesagt, daß Sie schon halb blind wären. Er denkt darauf, wie Sie den ganzen Winter hier [in Braunschweig] zubringen können.«

Ende Oktober: L führt Mendelssohn durch die Wolfenbütteler Bibliothek.

25. Oktober: An Eva König: »Sie glauben nicht, in was für einen lieblichen Geruch von Rechtgläubigkeit ich mich ... [wegen des *Berengarius*] bey unsern lutherischen Theologen gesetzt habe. Machen Sie sich nur gefaßt, mich für nichts geringeres, als für eine Stütze unserer Kirche ausgeschrieen zu hören.«

29. Oktober: In einem Brief an Ramler greift L seinen älteren Plan zu einem Deutschen Wörterbuch wieder auf: »Denn wenn ich wüßte, daß ich es nicht mit Ihrer Hülfe zu Stande bringen sollte: wahrlich, so ließe ich auch diese Arbeit liegen, und schriebe von nun an bis in Ewigkeit nichts als Katalogos.«

11. November: An Karl: »Ich habe es, Gott weiß, nie nöthiger gehabt, um Geld zu schreiben, als jetzt: und diese Nothwendigkeit hat, natürlicher Weise, sogar Einfluß auf die Materie, wovon ich schreibe. Was eine besondere Heiterkeit des Geistes, was eine besondere Anstrengung erfordert; was ich mehr aus mir selbst ziehen muß, als aus Büchern: damit kann ich mich jetzt nicht abgeben.« Aus solchen Gründen hält er einen zweiten Teil zum *Berengarius Turonensis* für denkbar: »Ich muß das Brett bohren, wo es am dünnsten ist.«

November: L mietet bei dem Weinhändler Angott am Ägidienmarkt in Braunschweig ein Absteigequartier.

Ende November: L schickt das Manuskript von H. S. Reimarus, *Apologie oder Schutzschrift für die vernünftigen Verehrer Gottes,* das ihm die Kinder des Reimarus überlassen hatten, an Mendelssohn. – Der angesehene Reimarus, Professor für orientalische Sprachen und Mathematik am Hamburger Gymnasium und Verfasser mehrerer aufklärerischer Schriften, hatte es nicht gewagt, seinen deistischen und z. T. christentumsfeindlichen Text zu veröffentlichen.

29. November: Mendelssohn bemerkt über Reimarus' Werk: »Es scheint mir, als wenn der [vermutlich auch ihm nicht genannte] Verf. zuweilen unbillig wäre. [...] Er leitet alles aus bösen, grausamen, menschenfeindlichen Absichten her, da doch der Anführer einer Räuberbande selbst gute Absichten wenigstens mit den bösen verbinden muß.«

16. Dezember: An Ramler: »Die Ode an die Könige [von Ramler] will ich mir dreymal laut vorsagen, so oft ich werde Lust haben, an meiner antityrannischen Tragödie zu arbeiten. Ich hoffe mit Hülfe derselben aus dem *Spartacus* einen Helden zu machen, der aus andern Augen sieht, als der beste römische.« – Der *Spartacus* blieb Fragment. – L bittet Ramler, die für den ersten Band der *Vermischten Schriften* neu zusammengestellten Epigramme zu überarbeiten: »Ihnen kann so etwas nicht viel Mühe kosten; denn Sie haben noch alle poetische Farben auf der Palette, und ich weiß kaum mehr, was poetische Farben sind.«

Dezember: Dem Leipziger Rektor Johann Jakob Reiske (1716-74) ist L bei der Beschaffung von Manuskripten für dessen Ausgabe der *Oratores Attici* behilflich; L lädt das Ehe

Lessing. Kinderbildnis mit seinem Bruder
Gemälde von Christian Vogel, ca. 1733. (Archiv für Kunst und Geschichte)

Lessing
Gemälde von J. A. Tischbein d. Ä., 1760 (Archiv für Kunst und Geschichte)

Lessing
Gemälde von O. May, 1767 (Archiv für Kunst und Geschichte)

Lessing
Gemälde von Anton Graff, 1770 (Herzog August-Bibliothek, Wolfenbüttel)

Lessing
Schattenriß, 1780 (Archiv für Kunst und Geschichte)

Eva König
Gemälde von George Demarees, 1772 (Herzog August-Bibliothek, Wolfenbüttel)

Johann Christoph Gottsched
Gemälde von Ludwig Schorer, 1744
(Archiv für Kunst und Geschichte)

Christoph Friedrich Nicolai
Kupferstich von Geiger nach Daniel Chodowiecki (Archiv für Kunst und Geschichte)

Moses Mendelsohn
Kupferstich von Daniel Chodowiecki aus Basedows Elementarwerk 1768 (Archiv für Kunst und Geschichte)

Friedrich Gottlieb Klopstock
Gemälde von Jes Juel, 1780 (Archiv für Kunst und Geschichte)

Johann Melchior Goeze
Kupferstich von Johanna Dorothea Philipp, um 1770 (Herzog August-Bibliothek, Wolfenbüttel)

Hermann Samuel Reimarus
Kupferstich um 1760 (Herzog August-Bibliothek, Wolfenbüttel)

Lessing-Haus in Wolfenbüttel
Heutiger Zustand (Herzog August-Bibliothek, Wolfenbüttel)

Herzog August Bibliothek, Wolfenbüttel Innenraum
Gemälde von Louis Tacke, 1870 (Archiv für Kunst und Geschichte)

August Wilhelm Iffland. Rollenbild ‚Nathan der Weise'
Zeichnung von Wilhelm Henschel, 1808 (Archiv für Kunst und Geschichte)

Mein lieber Eschenburg,

Ich ergreife den Augenblick, da meine Frau ganz ohne Besonnenheit liegt, um Ihnen für Ihren gütigen Antheil zu danken. Meine Freude war nur kurz. Und ich verlor ihn so ungern, diesen Sohn! denn er hatte so viel Verstand! so viel Verstand! – Glauben Sie nicht, daß die wenigen Stunden meiner Vaterschaft, mich schon zu so einem Affen von Vater gemacht haben! Ich weiß, was ich sage. – War es nicht Verstand, daß man ihn mit eisernen Zangen auf die Welt ziehen mußte? daß er sobald Unrath merkte? – War es nicht Verstand, daß er die erste Gelegenheit ergriff, sich wieder davon zu machen? – Freylich zerrt mir der kleine Ruschelkopf auch die Mutter mit fort! – Denn noch ist wenig Hoffnung, daß ich sie behalten werde. – Ich wollte es auch einmal so gut haben, wie andere Menschen. Aber es ist mir schlecht bekommen.

Lessing.

Faksimile eines Briefes von Lessing an Johann Joachim Eschenburg vom 31. 12. 1777 aus Wolfenbüttel. Vgl. Seite 101 (Herzog August-Bibliothek, Wolfenbüttel)

Lieber Eschenburg,

Meine Frau ist todt: u. diese Erfahrung habe ich nun auch gemacht. Ich freue mich, daß mir viel dergleichen Erfahrungen nicht mehr übrig seyn können zu machen; u. bin ganz leicht. – Auch thut es mir wohl, daß ich mich Ihres, u. unsrer übrigen Freunde in Braunschweig, Beyleids versichert halten darf.

Der Ihrige.

Lessing

Wolfenb.
d. 10. Jan. 1778.

Faksimile eines Briefes von Lessing an Johann Joachim Eschenburg vom 10. 1. 1778 aus Wolfenbüttel. Vgl. Seite 102 (Herzog August-Bibliothek, Wolfenbüttel) paar Reiske für den kommenden Sommer nach Wolfenbüttel ein.

1771

7. Januar: L schickt seiner Mutter 25 Taler und verspricht ihr für den Juni die doppelte Summe.

9. Januar: L wartet ungeduldig auf ein Werk Adam Fergusons, vermutlich die *Institutes of Moral Philosophy* (1769), das Mendelssohn ihm schicken soll. Er erhofft sich Wahrheiten, »in deren beständigem Widerspruche wir nun schon einmal leben, und zu unsrer Ruhe beständig fortleben müssen ... [Ich] besorge es nicht erst seit gestern, daß, indem ich gewisse Vorurtheile weggeworfen, ich ein wenig zu viel mit weggeworfen habe, was ich werde wiederholen müssen.« Nur die Furcht, »nach und nach den ganzen Unrath wieder in das Haus zu schleppen«, habe ihn abgehalten. –
Mendelssohn, den Lavater öffentlich aufgefordert hatte, die Bonnetschen Beweise für das Christentum zu widerlegen oder sich taufen zu lassen, erhält von L den Rat, »mit allem nur ersinnlichen Nachdrucke« zu antworten. »Sie allein dürfen und können in dieser Sache so sprechen und schreiben, und sind daher unendlich glücklicher, als andre ehrliche Leute, die den Umsturz des abscheulichsten Gebäudes von Unsinn nicht anders, als unter dem Vorwande, es neu zu unterbauen, befördern können.«

15. Februar: Drei Tage vor der Abreise schreibt Eva König ihren letzten Brief aus Wien, in dem – wie in den vorangehenden – Erfolg oder Mißerfolg ihrer Mission unerwähnt bleibt, das mit L gemeinsam betriebene Lotteriespiel dagegen breiten Raum einnimmt.

Ende März: Zur Ostermesse erscheinen drei Bände von Reiskes *Oratores Attici*; der dritte Band ist L gewidmet.

19. April: L schickt dem Herzog eine Sammlung von Handzeichnungen und Kupferstichen aus der Wolfenbütteler Bibliothek.

Ende April: Auf ihrer Rückreise verbringt Eva König einige Tage mit L in Braunschweig. L verspricht, sie im Sommer in Hamburg zu besuchen.

19. Mai: Der Schriftsteller Heinrich Christian Boie (1744-

1806), den L aus seiner Hamburger Zeit kannte, besucht mit den Söhnen des dänischen Ministers von Reventlov Braunschweig, wo sie L.s Braunschweiger Freundeskreis kennenlernen: neben dem jg. Jerusalem, Ebert und Schmid: Just Friedrich Wilhelm Zachariä, und Carl Christian Gärtner, beide Lehrer am Collegium Carolinum in Braunschweig.

23. Mai: L in Braunschweig: »... um beyher der Herzogin [Anna Amalia] von Weimar meine Cour zu machen. Nicht wahr, Sie müssen lachen, wenn Sie mich und Cour machen zugleich denken? Ich gehe auch dazu, als ob ich dazu geprügelt würde.« (An Eva König).

Frühling: In *Auserlesene Stücke der besten deutschen Dichter von Martin Opitz bis auf gegenwärtige Zeiten,* die L.s Braunschweiger Freund Zachariä edierte, erscheinen *Gedichte von Andreas Scultetus: aufgefunden von Gotthold Ephraim Lessing* (Braunschweig).

Juni/Juli: L.s Gesundheitszustand verschlechtert sich; er klagt, er sei unfähig, sich zu konzentrieren, jede Zeile presse ihm »Angstschweiß« aus. Die Arbeit an seinen *Vermischten Schriften* wird unterbrochen.

7. Juli: L schickt seiner Mutter die versprochenen 50 Taler und wiederholt sein Angebot, zur Deckung der vom Vater hinterlassenen Schulden Wechsel auszustellen. Zum Andenken seines Vaters will er nicht dessen Lebenslauf drucken, wie Theophilus vorgeschlagen, sondern etwas aufsetzen, »was man weiter als in Camenz, und länger als ein Halbjahr nach dem Begräbniße lieset«.

Juli: Das Ehepaar Reiske hat seinen Besuch angekündigt, L sieht sich gezwungen, die geplante Reise nach Hamburg zu verschieben.

29. Juli: An Eva König: »Mein Arzt dringet darauf, mir eine Veränderung zu machen, und glaubt, daß meine Umstände [Unfähigkeit zu arbeiten, Atembeschwerden] nichts als eine Folge von meiner zeitherigen Lebensart sind.«

6. August: Ankunft des Ehepaars Reiske in Wolfenbüttel. J. J. Reiske ordnet die arabischen Hss. der Bibliothek. Ernestine Christine Reiske ist derartig von L beeindruckt, daß sie nach dem Tode ihres Mannes (1774) leidenschaftlich um ihn wirbt.

Juli/August: Arbeit an den Anmerkungen zur griechischen Anthologie.

21. August: Die Reiskes kehren nach Leipzig zurück.

22. August: L besucht den Herzog Ferdinand von Braunschweig, preußischer Feldmarschall im Siebenjährigen Krieg, auf dessen Schloß Vechelde.

30. August: L schickt seinem Bruder Karl den letzten Teil seiner *Anmerkungen über das Epigramm und einige der vornehmsten Epigrammatisten* und ein korrigiertes Exemplar seiner *Lieder.* Zusammen mit den *Sinngedichten* und den *Lateinischen Epigrammen* machen sie den Inhalt des ersten Bandes der *Vermischten Schriften* aus; er erscheint im Herbst bei Voß. Karl, der den Druck betreute, setzt die Ausgabe nach L.s Tod fort.

3. September: L reist nach Hamburg. Während seines 14 tägigen Aufenthaltes verlobt sich L mit Eva König; im übrigen erneuert er alte Bekanntschaften und wird durch den Baron von Rosenberg in die Freimaurerloge »Zu den drei Rosen« eingeführt. Er soll auf Rosenbergs Bemerkung, nun wisse er doch, daß der Orden wirklich nichts gegen Religion und Staat im Sinn habe, gesagt haben: »Wollte Gott, ich fände etwas dagegen, so fände ich doch etwas.« (D 531).

17. September: L reist nach Berlin; hier verfaßt er die Vorrede zum ersten Band seiner *Vermischten Schriften* und zeigt seinen Freunden das radikal-deistische Ms. von Reimarus. »Er hatte die Absicht, es daselbst ganz drucken zu lassen. Sein Freund Voß wollte es auch verlegen, wenn es die Berlinische Censur passirte. Man übergab es daher dem theologischen Censor. Dieser hatte nichts dagegen; aber das Imprimatur wollte er nicht darauf schreiben.« (KG 322f).

29. September: L tröstet Eva König über den Tod ihrer Mutter und entschuldigt sich, nicht eher geschrieben zu haben: »Wahrlich, ich bin den ganzen Tag immer so belagert, und des Abends so lange in Gesellschaft gewesen, daß dieses der erste freye Augenblick ist, den ich auf meines Bruders Stube ohne Zeugen zubringen kann, um mich ganz dem Vergnügen, mich mit Ihnen zu unterhalten, zu überlassen.«

September: In Sulzers Haus läßt sich L von dessen Schwiegersohn, dem Dresdener Hofmaler Anton Graff, malen.

Anfang Oktober: Rückkehr nach Hamburg.

15. Oktober: L wird Mitglied der Loge »Zu den drei Rosen«; vermutlich hat er nie wieder an einer Logensitzung teilgenommen.

25. Oktober: L verläßt Hamburg.

31. Oktober: An Eva König: »Ich bleibe bis Morgen noch hier in Braunschweig; und alsdenn willkommen in mein liebes einsames Wolfenbüttel! [...] Ich sage Ihnen von unsern eigentlichen Angelegenheiten nichts; und werde Ihnen auch in meinen folgenden Briefen nur wenig davon sagen. Sie glauben nicht, wie viel ich auf ein einziges Wort von Ihnen baue, und wie überzeugt ich bin, daß so ein einziges Wort bey Ihnen auf immer gilt. Bleiben Sie dieses auch nur von mir überzeugt, und ich bin gewiß, es wird sich endlich alles nach unsern Wünschen bequemen.«
Das Erscheinen des ersten Bandes der *Vermischten Schriften,* das L unter dem Druck eines bereits angekündigten unautorisierten Nachdrucks der *Schrifften* vorantrieb, hat die Nachdrucker nicht abhalten können. L bittet Karl, Voß zu versichern: »... daß er auf den zweyten Theil und auf den Band der Trauerspiele diesen Winter zuverlässige Rechnung machen kann.«

9. November: Von Karl Lessing: »Sulzer will sich durch mich bey Dir erkundigen, ob Du wohl Lust hättest, unter den vortheilhaftesten Bedingungen nach Wien zu gehen.«

14. November: An Karl Lessing: »Aber ein Vorschlag nach Wien? Was kann das für einer seyn? Wenn er das Theater betrifft: so mag ich gar nichts davon wissen. [...] Doch vielleicht betrifft der Vorschlag das Theater nicht, wenigstens nicht unmittelbar; und in diesem Falle, gestehe ich Dir, würde ich mich nicht sehr bedenken, Wolfenbüttel mit Wien zu vertauschen.«

14. November: Eva König teilt L mit, daß ihr ein Leipziger Gläubiger den Kredit gekündigt hat, und daß sie erwägt, ihre Wiener Fabriken zu verkaufen.

19. November: Karl versichert seinem Bruder, daß die Wiener Anfrage von keinem Theater-Unternehmer, sondern von »einem Minister des kayserlichen Hofes« ausgeht. Er erwähnt ein Gehalt von 1500 Talern und später – vermutlich nach Rücksprache mit Sulzer – ein Gehalt von 2000 Talern.

25. November: Von Eva König: »... der Vorsatz bleibt unumstößlich: bin ich unglücklich, so bleibe ich es allein, und Ihr Schicksal wird nicht mit dem meinigen verflochten.«

6. Dezember: L teilt seinem Verleger Voß mit, er brauche zum Jahresende 600 Taler, um seine Gläubiger zu befriedigen;

er bittet diese Summe nicht als Vorschuß, sondern als Wechselschuld zu betrachten.

Dezember: Die Situation der Königschen Unternehmungen in Hamburg und Wien wird kritisch: Eva König, die sich von dem Hamburger Kaufmann Johannes Schuback, von ihren Verwandten und von L beraten läßt, plant eine zweite Wienreise, um zumindest ihren vier Kindern einen Teil des Vermögens zu erhalten.

Winter: Arbeit an *Emilia Galotti.*

24. Dezember: L bedankt sich bei Voß, der ihm mit 400 Talern helfen will; gleichzeitig kündigt er ihm *Emilia Galotti* an, die er zum Geburtstag der Herzogin Philippine Charlotte von Braunschweig am 10. März von der Döbbelinschen Truppe aufführen lassen will.

31. Dezember: An Karl: »Ich habe zur Zeit noch nichts in der bewußten Angelegenheit aus Wien vernommen, und ich muß Dir sagen, wenn man daselbst verlangt, daß ich erst zum Besuche hinkommen soll, so kann aus der ganzen Sache nichts werden.«

31. Dezember: C. A. Klotz stirbt.

1772

Januar: L hält sich zum Jahresbeginn in Braunschweig auf; er bleibt dort, um Briefe aus Berlin, seinen Ruf nach Wien betreffend, abzuwarten.

7. Januar: Eva König hat sich zu einer zweiten Wienreise entschlossen.

9. Januar: Der Herzog bittet L um Übersendung der Kupferstiche und Holzschnitte von Albrecht Dürer, da er die Sammlung durch einen Gelegenheitskauf ergänzen möchte.

9. Januar: L berichtet Eva König von einer durch Sulzer übermittelten »sonderbaren Anfrage« aus Wien: »... ob ich nicht geneigt sey, auf Kosten des Kaisers, auch nur zum Besuche vors erste, nach Wien zu kommen, um mir selbst meine Bedingungen zu machen, und Verschiednes einrichten zu helfen.« – Mit Rücksicht auf den Braunschweiger Hof lehnt er diese »Reise aufs Ungewisse« ab.

ca. 20. Januar: L schickt die ersten drei Akte der *Emilia*

Galotti an seinen Bruder Karl, und hofft, in 8 Tagen den Rest liefern zu können.

25. Januar: An Voß: »Ich habe Ihnen eine neue Tragödie versprochen; aber wie gut oder wie schlecht – davon habe ich nichts gesagt. Je näher ich gegen das Ende komme, je unzufriedner bin ich selbst damit.«

Mitte Januar: L hat sich von einer Erkältung erholt und reist zurück nach Wolfenbüttel.

31. Januar: L wieder in Braunschweig. »Es fehlt nicht viel, daß ich hier nicht eben so einsam lebe, als in Wolfenbüttel: und mein ganzes Schwirren ist, daß ich dann und wann mit Zachariä ein Glas Punsch trinke.« (An Eva König) – Trotzdem bleibt er, um Evas Besuch auf ihrer Reise nach Wien zu erwarten.

10. Februar: L antwortet detailliert auf Karls Bemerkungen über *Emilia Galotti* (Akt I-III): »Das Süjet davon war eins von meinen ältesten, das ich einmal in Hamburg auszuarbeiten anfing. Aber weder das alte Süjet noch die Hamburger Ausarbeitung habe ich jetzt brauchen können, weil jenes nur in drey Acte abgetheilt, und diese so angelegt war, daß sie nur gespielt, aber nie gedruckt werden sollte.«

13. Februar: Vom Herzog erhält L Druckerlaubnis und Zensurfreiheit für seine Beiträge *Zur Geschichte und Litteratur. Aus den Schätzen der Herzoglichen Bibliothek zu Wolfenbüttel.* »... da man von dem Supplicanten wol versichert ist, daß er nichts werde drucken lassen, was die Religion und guten Sitten beleidigen könne.«

22. Februar: Eva König trifft in Begleitung ihres Schwagers in Braunschweig ein.

1. März: L schickt Karl den Rest des Ms. zu *Emilia Galotti*: »Du siehst wohl, daß es weiter nichts, als eine modernisirte, von allem Staatsinteresse befreyete Virginia seyn soll.«

Anfang März: L legt dem Herzog die Akte I bis III und einige Szenen des IV. Aktes der *Emilia Galotti* vor, »... welches weiter nichts als die alte Römische Geschichte der Virginia in einer modernen Einkleidung seyn soll«, mit der Frage, ob er sie am Geburtstag der Herzogin aufgeführt sehen möchte.

1. Märzwoche: Antwort des Herzogs: die Aufführung könne »gar füglich geschehen« (KG 332).

13. März: Uraufführung der *Emilia Galotti* in Braun

Emilia Galotti.

Ein Trauerspiel
in
fünf Aufzügen.

Von
Gotthold Ephraim Lessing.

Berlin
bey Christian Friedrich Voß, 1772.

schweig durch die Döbbelinsche Truppe. Der Druck (bei Voß in Berlin) wurde rechtzeitig abgeschlossen, so daß L der Herzogin ein Exemplar überreichen lassen konnte. Er selbst hat weder die erste noch eine der folgenden Aufführungen besucht.

15. März: L schickt Eva König ein Exemplar der *Emilia Galotti* und einen Empfehlungsbrief nach Regensburg; sie sind für den Hofrat Gebler gedacht, von dem sich L Hilfe, auch für Evas geschäftliche Angelegenheiten verspricht. Über das Braunschweiger Theaterereignis berichtet er: »Es ist [...] vorgestern [...] aufgeführt worden. Ich bin aber nicht bey der Aufführung gewesen; denn ich habe seit acht Tagen so rasende Zahnschmerzen, daß ich mich bey der eingefallenen strengen Kälte nicht herüber getraut habe.«

Ende März: Eva König trifft in Wien ein.

6. April: Aufführung der *Emilia Galotti* durch die Kochsche Truppe in Berlin.

10. April: An Eva König: »... es wäre doch Schade, wenn Sie, den Handel [die Seidenfabrik zu verkaufen] zu erleichtern, schlechterdings die Tapetenfabrik aufopfern müßten, mit welcher Sie so wohl zufrieden zu seyn scheinen. Sie wissen wohl, meine Liebe, warum ich es so gern sähe, wenn Sie fürs erste noch einen festen Fuß in Wien behielten.«

21. April: L bittet Ramler um seine Kritik zur *Emilia Galotti*: »... [da ich] das Verbessern eines dramatischen Stücks [...] fast für unmöglich halte, wenn es einmal zu einem gewissen Grade der Vollendung gebracht ist, und die Verbesserung mehr als Kleinigkeiten betreffen soll: so nutze ich die Kritik zuverlässig zu etwas Neuem.«

Mai: L ist mit der Umstellung der Bibliothek beschäftigt. »Ich möchte [...], was ich in der Bibliothek angefangen habe, – und das ist nichts Geringers, als hundert tausend Bücher in eine völlig andre Ordnung zu bringen – gern diesen Sommer zu Stande haben; um vorkommenden Falls so geschwind hier abbrechen zu können, als möglich.« (An Eva König 1. 5.)

Sommer: L in schlimmer psychischer Verfassung: er klagt über geistige Zerrüttung und Ermattung. Die Arbeit an der geplanten Herausgabe von Fragmenten aus der Reimarus-Schrift gerät ins Stocken.

16. Mai: An J. J. Reiske, der ihm einige seiner Manuskripte (Übersetzungen?) geschickt hatte, schreibt L, er verwahre sie wie seine Augen. »Von einem Theile habe ich den Gebrauch zu meiner Belehrung gemacht, den Sie mir davon zu machen erlaubt haben. Von dem Uebrigen sollen Sie [...] nächstens etwas gedruckt sehen.« Er lädt ihn zur Mitarbeit an den *Beyträgen zur Geschichte und Litteratur* etc. ein.

Mai: In seiner Antwort erwähnt Reiske seine vergeblichen Bemühungen, sich den griechischen Text des *Aesopi inediti* aus Augsburg zu verschaffen, den seine Frau für L kopieren wollte. Man verlange eine Kaution von 200 Talern.

27. Mai: L hat seinen »schurkischen Bedienten [...] wegen hundert lüderlichen und infamen Streichen zum Teufel jagen müssen«. – Eva König, die von Wiener Gerüchten berichtete, L sei »aus Stolz« nicht auf den Ruf nach Wien eingegangen, bittet er: »... im Fall, daß man wieder dergleichen sagt, gerade zu versichern [...] daß noch nie ein directer und bestimmter Antrag von Wien aus an mich geschehen sey.« – Der Wiener Staatsrat von Gebler verspricht, Eva König behilflich zu sein und will durch L dem Braunschweiger Herzog seine dramatischen Werke überreichen lassen.

27. Juni: L hat von Geblers Komödien überreicht: »Er will Weihrauch; und es ist ihm gleichviel, wer ihm diesen streuet. Mir aber ist es nicht gleichviel, daß ich das wenigstens im Namen eines Herzogs loben darf, was ich in meinem Namen weder loben kann noch mag.« Er schreibt weiter an Eva König: »Mir aber ist itzt nicht selten das ganze Leben so ekel – so ekel! Ich verträume meine Tage mehr, als daß ich sie verlebe. Eine anhaltende Arbeit, die mich abmattet, ohne mich zu vergnügen; ein Aufenthalt, der mich durch den gänzlichen Mangel alles Umganges [...] unerträglich wird; eine Aussicht in das ewige, liebe Einerley – das alles sind Dinge, die einen so nachtheiligen Einfluß auf meine Seele, und von der auf meinen Körper haben, daß ich nicht weiß, ob ich krank oder gesund bin.«

2. Juli: An Voß: »Diese Zeilen, die ich mir alle Gewalt anthun muß, kritzeln zu können, sind, in der allerstrengsten Wahrheit, seit sechs Wochen die ersten. Ich kann nichts machen, und wenn es mir das Leben kosten sollte.« Trotzdem verspricht er, den zweiten Band der *Vermischten Schriften* zum Herbst abzuschließen.

15. Juli: Aus Wien berichtet Eva König: »Ihr neues Stück ist vorige Woche drey Tage nach einander aufgeführt worden, und zwar mit außerordentlichem und allgemeinem Beyfall. Der Kaiser hat es zweymal gesehen, und es gegen G[ebler] sehr gelobt. Das muß ich aber auch gestehen, hat er gesagt, daß ich in meinem Leben in keiner Tragödie so viel gelacht habe.«

29. Juli: An Eva König: »Könnte ich wenigstens doch nur itzt abkommen, um mich desto geschwinder in Ihrer Gesellschaft von der Neigung zu kuriren, die noch dann und wann für diesen betrügerischen Ort [Wien] bey mir spricht. [...] Zwar die Wiener Zuschauer sind mir schon längst eben so verdächtig, als die Akteurs.«

2. September: Auf vermutlich ungemein positive, aber nicht erhaltene Bemerkungen C. M. Wielands über *Emilia Galotti* antwortet L: »Ach, mein liebster Wieland! – denn so habe ich Sie iederzeit in Gedanken genennet. Sie glauben nur, daß wir Freunde werden könnten? Ich habe nie anders gewußt, als daß wir es längst sind. [...] Vielleicht daß Ihre gegenwärtige Veränderung uns bald einmal zusammen bringt. Diese Veränderung – o daß Sie eben so gut dabei fahren mögen, als der Prinz!« Wieland war 1772 von der Herzogin Anna Amalia als Erzieher ihrer Söhne nach Weimar berufen worden. Ein Treffen mit L hat nicht stattgefunden.

25. Oktober: L schreibt dem Freiherrn von Gebler, er habe dessen theatralische Werke übergeben, »und den Auftrag dagegen erhalten, dem Verfasser nicht bloß das Angenehme darüber zu sagen, was man bey dergleichen Fällen zu sagen gewohnt ist, sondern ihn ganz besonders zu versichern, wie viel Vergnügen sich Se. Durchlaucht davon versprechen [...]« Er bedankt sich ebenfalls für zwei später erhaltene Stücke, möchte aber bis zu deren Aufführung nichts dazu sagen und dann »ohne Wortgepränge [...] nicht die Kritik unter das Lob, sondern das Lob unter die Kritik verstecken«. Im übrigen beklagt er sich, daß noch kein einziges seiner Stücke in Wien aufgeführt worden, »ohne daß es nicht dieser oder jener Herr entweder *überarbeitet,* oder *verkürzt,* oder für das dasige Theater *eingerichtet* hätte«.

26. Oktober: L entschuldigt sich seines langen Schweigens wegen bei Eva König: »Nicht daß ich etwa krank gewesen; ob ich mich schon auch nicht gesund befunden. Ich bin schlimmer als krank gewesen; mißvergnügt, ärgerlich, wild; wider mich, und wider die ganze Welt aufgebracht; Sie allein ausgenommen. ... Ich muß wieder unter Menschen, von denen ich hier so gut als gänzlich abgesondert bin.« Er entwickelt ihr seinen Plan, einen einjährigen Urlaub zu beantragen, um über Wien nach Italien zu reisen.

28. Oktober: An Karl: »Ehestens will ich Dir den *ersten Band von Beyträgen zur Geschichte und Litteratur, aus den Schätzen der herzogl. Bibliothek zu Wolfenbüttel* etc. schikken, womit ich so lange ununterbrochen fortzufahren gedenke, bis ich Lust und Kräfte wieder bekomme, etwas Gescheidteres zu arbeiten.«

28. Oktober: An Voß: »In meinen Papieren, unter einander geschmiert, ist sicherlich mehr fertig, als zu drey, vier Bänden [der *Vermischten Schriften*] gehört. Indeß sey dem, wie ihm wolle: mit dem zweiten Band können Sie nun versichert seyn, daß ich Sie gewiß nicht länger aufhalten will.«

29. Oktober: Karl Wilhelm Jerusalem, jetzt Legationssekretär am Reichskammergericht in Wetzlar, begeht Selbstmord.

Anfang Dezember: Auf der Rückreise von Wien besucht Friedrich Wilhelm König, Evas Schwager, L in Wolfenbüttel. Die Zukunft der Königschen Investitionen in Wien bleibt weiter ungewiß.

5. Dezember: L befürchtet, seinen Verleger Voß verärgert zu haben. »Den zweyten Theil meiner vermischten Schriften soll er auf Ostern gewiß haben; was ich ihm aber sonst auf diese Zeit versprechen könnte, wüßte ich nicht. [...] Zwar habe ich, nach meinem letzten Ueberschlage, wenigstens zwölf Stücke, Komödien und Tragödien zusammengerechnet, deren jedes ich innerhalb sechs Wochen fertig machen könnte. Aber wozu mich, für nichts und wieder nichts, sechs Wochen auf die Folter spannen?« (An Karl).

1. Dezember: J. J. Eschenburg ist gebeten worden, die Erziehung des Grafen von Forstenburg, eines natürlichen Sohnes des Erbprinzen, zu übernehmen. L rät ihm anzunehmen; er könne dann zugleich das Bibliothekariat, während L.s Wienreise, wahrnehmen.

1773

8. Januar: An Eva König: »Zum neuen Jahre bin ich in Braunschweig bey Hofe gewesen, und habe mit andern gethan, was zwar nichts hilft, wenn man es thut, aber doch wohl schaden kann, wenn man es beständig unterläßt: ich habe Bücklinge gemacht, und das Maul bewegt.« Er berichtet von Zachariäs Hochzeit im »Weghaus« zwischen Braunschweig und Wolfenbüttel: »Es hielt schwer, ehe ich lustig werden konnte. Aber endlich riß mich das Beyspiel fort; und ich ward es, weil es alle waren. [...] Wir haben bis an den andern Tag geschwärmt; und niemand ist zu Bette gegangen, als Braut und Bräutigam.« – In den *Briefen Deutscher Gelehrten an den Herrn Geheimen Rath Klotz*, die im Dezember, 1772 erschienen waren, standen einige verletzende Bemerkungen gegen L, deren Verfasser der Wiener Professor und Regierungsrat von Sonnenfels (1733-1817) war. L lehnt es ab, sich gegen den inzwischen in Ungnade Gefallenen zu wehren: »Auf wen alle zuschlagen, der hat vor mir Friede.«

Anfang Januar: *Zur Geschichte und Litteratur Aus den Schätzen der Herzoglichen Bibliothek zu Wolfenbüttel Erster Beytrag* erscheint in der Waisenhaus-Buchhandlung in Braunschweig. »Ich fange hiermit an, der Welt einige Proben vorzulegen, wie weit es mir noch bis itzt durch [Versuche; durch anhaltenden Fleiß; durch gutes Glück] gelungen ist, Schätze kundbarer zu machen, die ihre Durchlauchtigsten Besitzer von jeher, so gemeinnützig als möglich zu wissen, sich zum Vergnügen gerechnet haben.« (LM XI, 321). In der bedeutendsten von den sieben Abhandlungen dieses Bandes verteidigt L Leibniz gegen den Vorwurf der Heuchelei. Leibniz habe, »im exoterischen Vortrag«, die Lehre von den ewigen Höllenstrafen vertreten, weil er in ihr »einen erträglichen Sinn« fand, über den er sich im »esoterischen« Vortrag ganz anders ausgedrückt hätte. (LM XI, 470).

13. Januar: L rechtfertigt das Erscheinen der *Beyträge* gegenüber dem Braunschweig-Lüneburgschen Zensor Franz Anton Knittel: »Ohne alle Rücksicht auf dessen [Knittels] von mir nie verkannte Verdienste, habe ich blos gesucht, auch hier eine Freyheit zu erhalten, welche ich noch an allen Orten genossen, und *von deren Entbehrung, wenn man mir sie auch noch so wenig fühlbar gemacht hätte, mir schon der bloße Gedanke unerträglich gewesen wäre.*« (An F. A. Knittel).

14. Januar: L unterstützt die Bewerbung Johann Friedrich Haeselers um die Superintendentur in Schöningen. »Nun mag ich freylich wohl schlecht beurtheilen können, was für Salbung eigentlich zu einem Superintendenten gehöret. Aber ich sollte doch meinen, daß wenigstens Gelehrsamkeit und Rechtschaffenheit dieser Salbung nicht hinderlich sind: und daß es der h. Geist nicht übel nehmen kann, wenn man ihm einen solchen Mann unterzuschieben sucht.« (An Ebert)

19. Januar: J. A. Ebert übermittelt den Beifall des Erbprinzen zum ersten Band der *Beyträge*: »Er bewunderte den Geist des Verfassers; (dieß sage ich mehr zu des erstern, als zu des letztern Ehre;) und war darüber mit mir einig, daß schwerlich jemals ein solcher tragischer Dichter, ein so witziger Kopf, ein so scharfsinniger Philosoph, und ein solcher Litterator mit einander in Einer Person verbunden gewesen wären.«

22. Januar: An Reiske: »In dem übersandten Catalogo sticht mir manches in die Augen, das ich gar zu gerne für mich oder für die Bibliothek haben möchte, wenn mir nicht auf alle Weise die Hände gebunden wären. [...] Für das verflossene Jahr habe ich ohnedem schon über die Schnur gehauen, und mehr gekauft, als ich sollte.« – Für Neuanschaffungen waren nur 200 Taler pro Jahr angesetzt.

15. Februar: Nach dem Tod des Hofhistoriographen und Rechtsberaters des Herzogs wird L vom Erbprinzen diese Position als zusätzliches Amt angetragen. »Er [...] versicherte mich, daß er mich so dabey setzen wollte, daß ich mit möglichster Zufriedenheit mich hier fixiren könnte. Aber darauf, sagte er, kömmt es sodann auch an! Sie müssen bey uns bleiben, und Ihr Projekt, noch in der Welt viel herumzuschwärmen, aufgeben. [...] Ich nahm seinen Antrag vorläufig an, ohne ihm jedoch zu verschweigen, daß ich allerdings, ohne eine bessere Aussicht, nicht mehr sehr lange allhier dürfte ausgehalten haben.« (An Eva König).

Februar, zweite Hälfte: Eine Berlinreise des Erbprinzen verhindert den endgültigen Abschluß der Angelegenheit.

Ende Februar: François Cacault, ein Mathematiker, der L.s Berliner Freunde kennengelernt und Ramlers Oden ins Französische übersetzt hatte, besucht L in Wolfenbüttel.

3. April: An Eva König: »Ich möchte rasend werden! [...] Ohne die geringste Veranlassung von meiner Seite, läßt man mich ausdrücklich kommen, thut, wer weiß wie schön mit mir, schmiert mir das Maul voll, und hernach thut man gar nicht, als ob jemals von etwas die Rede gewesen wäre.« Zwei weitere Reisen nach Braunschweig sind ohne Ergebnis geblieben. L ist entschlossen, Wolfenbüttel zu verlassen, wenn die Aufbesserung seiner Stellung nicht umgehend, ohne sein Zutun, in seinem Sinne geregelt wird.

8. April: An Karl: »Ich bin in meinem Leben schon in sehr elenden Umständen gewesen, aber doch noch nie in solchen, wo ich im eigentlichen Verstande um Brodt geschrieben hätte. [...] Wenn Du nicht begreifen kannst, wie ein Mensch, der doch jährlich 600 Thaler hat, in so kümmerlichen Umständen seyn kann: so muß ich Dir sagen, daß ich auf länger als anderthalb Jahre mein ganzes Salarium vor einiger Zeit aufnehmen müssen, um nicht verklagt zu werden. Erlaub mir nur, daß ich Dir weiter nichts hierüber schreibe.« Auf Karls Einwand, er treffe in dem Leibnizkritiker und Neologen Johann August Eberhard (1739-1809) den falschen Mann, erwidert L: »Was gehen mich die Orthodoxen an? Ich verachte sie eben so sehr, als Du; nur verachte ich unsere neumodischen Geistlichen noch mehr, die Theologen viel zu wenig, und Philosophen lange nicht genug sind.« – Cacault studiere sehr fleißig deutsche Philosophie; »und da ich hier fast niemanden sehe, so ist es mir eben nicht unangenehm, daß er mich alle Abende besucht.«

14. April: Eva König bittet L, »Wolfenbüttel oder vielmehr die Stelle, die Sie daselbst begleiten, nicht eher [zu] verlassen, bis Sie einer andern versichert sind«.

26. April: Von Nicolai: »Also Sie haben Hrn. Cacault [der ein großer Verehrer der klassischen französischen Literatur war] gänzlich umgekehrt, und haben meiner Recommendation, daß man Lessingen in seinem persönlichen Umgange kennen lernen müsse, wenn man ihn beurtheilen wolle, Ehre gemacht!« Cacault hat später die *Hamburgische Dramaturgie* ins Französische übersetzt, sie erschien 1785.

20. Juni: Anläßlich der Durchreise M. Mendelssohns und der Hochzeit eines Braunschweiger Bekannten, des Kammerherrn Johann von Kuntzsch, verbringt L einige Tage in Braunschweig.

27. Juni: L ist hinsichtlich der versprochenen Stellung weiter im Ungewissen. An Eva König: »Das Verfahren ist mir unerträglich; und nichts geringeres als Ihr ausdrückliches Verbot hat mich abhalten können, einen unbesonnenen Schritt zu thun. [...] Werde ich ihn auch nicht endlich thun müssen? denn, bey Gott, ich kann es nicht länger ausstehen. Es muß brechen oder biegen.«

14. Juli: L bittet seinen Bruder Karl, ihm seine Komödien zu schicken; zu einem von Karl geplanten Massaniello schreibt er, daß auch er in der »uneigennützigen Entschlossenheit, zum Besten Anderer sein Leben zu wagen, in einem so rohen Menschen« einen »sehr schicklichen tragischen Helden« erkannt hatte. »Ich glaubte sonach den Mann in ihm zu finden, an welchem sich der alte rasende Herkules modernisiren ließe.« – Zu der Kontroverse mit Eberhard bemerkt er abschließend: »... die Hölle, welche Herr Eberhard nicht ewig haben will, ist gar nicht, und die, welche wirklich ist, ist ewig.«

19. Juli: Der geheime Rat von Schliestedt, den L für die erbärmliche Behandlung seiner Sache verantwortlich glaubte, stirbt.

14. August: Anfrage Herders, ob die Wolfenbütteler Bibliothek Volkslieder besitze.

17. September: L berichtet Eva König von seiner neuen Enttäuschung: »... jener [v. Schliestedt] ist nun schon seit acht Wochen todt, und dieser [der Erbprinz] ist vorgestern auf vier Wochen nach Potsdam gereiset, in welchen sicherlich wieder nichts geschieht. [...] Wenigstens sollen Sie wissen, wie es steht, und hören, daß ich gesund bin, bis auf die Gefahr, für Bitterkeit und Unwillen toll zu werden.«

Anfang Oktober: Der zweite Beitrag *Zur Geschichte und Litteratur Aus den Schätzen der Herzoglichen Bibliothek zu Wolfenbüttel* erscheint in der Waisenhaus-Buchhandlung in Braunschweig. Unter den sieben Aufsätzen befaßt sich der umfangreichste mit Anlage und Kunstschätzen des Klosters Hirschau, der interessanteste, »Des Andreas Wissowatius Einwürfe wider die Dreyeinigkeit«, wieder mit Leibniz und den Neologen. L verteidigt den Philosophen auch hier gegen den Vorwurf, er habe Dinge »bewiesen«, an die er dennoch nicht »geglaubt« hätte. »Er *glaubte*! Wenn ich doch nur wüßte, was man mit diesem Worte sagen wollte. In dem Munde so mancher neuern Theologen [...] ist es mir wenigstens ein wahres Räthsel. [...] Sie haben so viel dringende Gründe des Glaubens, so viel unumstößliche Beweise für die Wahrheit der christlichen Religion an der Hand, daß ich mich nicht genug wundern kann, wie man jemals so kurzsichtig seyn können, den Glauben an diese Wahrheit für eine übernatürliche Gnadenwirkung zu halten.« (LM XII, 96).

5. Oktober: L an J. A. Ebert: »Das Exemplar [der *Beyträge*], welches ich durch Sie übergeben laßen wollte, habe ich geraden Weges mit einer gleichgültigen Zeile abgeschickt. Ich weiß, daß er [der Erbprinz] nicht an mich erinnert seyn will; und das war die beste Weise, es am wenigsten zu thun.«

9. Oktober: C. G. Heyne schickt L seine Pindar-Ausgabe, lädt ihn zum kommenden Frühjahr nach Göttingen ein, und möchte anschließend mit L die Bibliothek in Wolfenbüttel besichtigen.

21. Oktober: L.s Bruder Karl erkundigt sich, ob er das Schauspiel *Götz von Berlichingen* gelesen; Karl beneidet den Verfasser, an dessen Namen er sich nicht erinnern kann. Goethes Stück war im Juni erschienen.

30. Oktober: Auch C. G. Heyne erhält ein Exemplar der *Beyträge*; L schreibt weiter: »Wie sehr danke ich Ihnen für den vortrefflichen Einfall, mich und unsere Bibliothek, mit dem H. Prof. Dietze zu besuchen. [...] Ich komme auf das Frühjahr nach Göttingen, um sie selbst abzuhohlen.«

30. Oktober: Gottlob Friedrich Schönborn, ein Freund Gerstenbergs, besucht L in Wolfenbüttel.

November: Durch Vermittlung des Hofes entleiht L einige Manuskripte aus der Bibliothek des Herzogs von Gotha.

1. Dezember: An Eva König: »Ich bin mißvergnügt, ärgerlich, hypochondrisch, und in so einem Grade, daß mir noch nie das Leben so zuwider gewesen. [...] Künftigen Januar wird es ein Jahr, daß er [der Erbprinz] mir den ersten Antrag eigenhändig that. So lange warte ich nur noch, um ihm alsdenn meine Meynung so bitter zu schreiben, als sie gewiß noch keinem Prinzen geschrieben worden.«

1774

23. Januar: Seiner prekären finanziellen Lage wegen ist L gezwungen, den Herzog um Vorauszahlung von drei Quartalen seines Gehalts zu bitten.

2. Februar: Seinem Bruder Karl, der sich nach L.s Arbeit an einem deutschen Wörterbuch erkundigt, schreibt L, er habe »diesen albernen Gedanken« längst aufgegeben. Er äußert sich kritisch über J. C. Adelungs *Wörterbuch der hochdeutschen Mundart* (erster Band 1774): »Was ich daran auszusetzen habe, sollst Du ehestens weitläuftig zu lesen bekommen.« (Das von L.s Vorarbeiten zu einem Deutschen Wörterbuch Erhaltene zuerst vollständig in LM XVI). – L verteidigt sich gegen Karls Verdacht, er heuchle den Orthodoxen: »Ich würde mich verabscheuen, wenn ich selbst bey meinen Sudeleyen einen andern Zweck hätte, als jene große Absichten [die Welt aufzuklären] befördern zu helfen. [...] Nicht das unreine Wasser, welches längst nicht mehr zu brauchen, will ich beybehalten wissen: ich will es nur nicht eher weggegossen wissen, als bis man weiß, woher reineres zu nehmen; ich will nur nicht, daß man es ohne Bedenken weggieße, und sollte man auch das Kind hernach in Mistjauche baden. Und was ist sie anders, unsere neumodische Theologie, gegen die Orthodoxie, als Mistjauche gegen unreines Wasser?« Das »alte Religionssystem« halte auch er für falsch und doch wisse er »kein Ding in der Welt, an welchem sich der menschliche Scharfsinn mehr gezeigt und geübt hätte, als an ihm«. – Er gesteht, die Komödien seines Bruders noch nicht gelesen zu haben und tröstet ihn: »... daß ich den Götz von Berlichingen auch nur erst seit gestern gelesen habe, und noch nicht einmal ganz.«

4. Februar: Von Gleim erhält L zur Beurteilung ein Ms. von dessen *Halladat oder das rothe Buch.* – Gleim beklagt sich, der Besuch des Erbprinzen habe ihm die unversöhnliche Feindschaft zweier Personen eingetragen.

6. Februar: L hält Gleims Halladat-Gedichte für Übersetzungen oder Nachdichtungen, vermeidet aber jede Kritik. (Gleims Werk erschien 1774 in Hamburg bei Bode). Zum Besuch des Erbprinzen schreibt er: »Wenn hätte, auch was die Großen am besten zu machen meinen, nicht üble Folgen? Und unser Großer, fürchte ich, [...] ist eben so wenig, als sie alle, der Mann, [...] üble Folgen, die er veranlaßt hat, wieder gut zu machen.«

26. März: Eva König schreibt L, daß verschiedene Gelehrte an die Universität Heidelberg berufen werden sollten, und daß Professor Christian Maier, der L in Wolfenbüttel besucht hatte, ihm zu einem Ruf verhelfen könnte, sollte L daran interessiert sein.

8. April: In seiner Antwort, seit vier Monaten wieder der erste Brief an Eva König, geht L auf das Heidelberger Projekt ein: »... ich wünschte allerdings, daß man mit auf mich einiges Absehen haben wollte. Denn hier ist es länger nicht auszuhalten.« Nur bewerben möchte er sich nicht: »Ein Mensch, wie ich, wenn er sich anbietet, scheint überall sehr überflüssig zu seyn.«

ca. 15. April: L trifft Wilhelm Heinse (1749-1803) und Johann Georg Jacobi (1740-1814) in Braunschweig. Heinse berichtet: »... als wir uns in unserm Zimmer befanden, erscholl eine Stimme hinter uns: Ist es erlaubt, herein zu kommen? und wir erblickten Lessingen; dieser führte uns zu Zachariä, wo wir bis Mitternachts 2 Uhr uns kränklich schmausten, tranken und lachten.« (D 566).

14. April: *Götz von Berlichingen* wird mit großem Erfolg in Berlin uraufgeführt.

22. April: Karl berichtet von dem Beifall, den Goethes Stück gefunden hatte und rühmt die Kostüme der Schauspieler, die nach Zeichnungen des mit L befreundeten Kupferstechers Meil angefertigt wurden.

30. April: L beschreibt seinem Bruder Karl seine elende Lage und erwähnt Reisepläne. »Du wirst diese Messe auch nichts von mir lesen; denn ich habe den ganzen Winter nichts gethan, und bin sehr zufrieden, daß ich nur das eine große Werk von Philosophie [...] zu Stande gebracht, – daß ich noch lebe. [...] Daß Götz von Berlichingen großen Beyfall in Berlin gefunden, ist, fürchte ich, weder zur Ehre des Verfassers, noch zur Ehre Berlins. Meil hat ohne Zweifel den größten Theil daran. Denn eine Stadt, die kahlen Tönen nachläuft, kann auch hübschen Kleidern nachlaufen.«

1. Mai: L bedankt sich bei Mendelssohn für eine Verbesserung des von L zitierten lat. Textes von Leibniz (*Des Andreas Wissowatius* etc). »Aber ist es nicht sonderbar, daß Sie die wahre Lesart in einer Schrift herstellen, die Ihnen von einem Ende zum andern so kompleter Nonsens scheinen muß – und ist? Auch mir ist; auch ohne Zweifel Leibnitzens selbst gewesen ist.« Doch Leibniz habe lieber »eine unphilosophische Sache sehr philosophisch vertheidigen, als unphilosophisch verwerfen und reformiren wollen«.

Sommer: Eine Krankheit, verschlimmert durch die Mißlichkeiten seiner Situation in Wolfenbüttel, die bedrückende Armut seiner Angehörigen in Kamenz, die ihm seine früheren Versprechungen vorhalten, bewirken, daß sich L völlig zurückzieht. Seine Korrespondenz stellt er auf mehrere Monate ein.

12. August: L schickt dem Herzog seine im Sommer erschienene Abhandlung *Vom Alter der Oelmalerey aus dem Theophilus Presbyter* (Waisenhaus-Buchhandlung, Braunschweig), in der er aus dieser Handschrift aus dem 10. oder 11. Jahrhundert das Alter dieser Kunst belegt. Er verspricht sich praktische Vorteile für die Glasmanufaktur aus der gänzlichen Veröffentlichung der Handschrift, die er zugleich beantragt.

14. August: J. J. Reiske stirbt im Alter von 58 Jahren.

7. Oktober: Eva König verkauft die Wiener Seidenfabrik.

14. Oktober: Ernestine Reiske plant, die *Oratores Attici*, deren Herausgabe ihr Mann begonnen hatte, fortzusetzen. Sie bittet L, eine Lebensbeschreibung ihres Mannes zu verfassen. Leider ist keiner ihrer Briefe an L aus dieser Zeit erhalten.

Oktober: Der dritte Beitrag *Zur Geschichte und Litteratur* erscheint in der Waisenhausbuchhandlung; die fünf Aufsätze dieses Bandes bringen u. a. drastische Korrekturen am Bild Adam Neusers, eines Antitrinitariers und Renegaten aus dem 16. Jahrhundert und »Von der Duldung der Deisten: Fragment eines Ungenannten«, i. e. das erste der Fragmente aus der *Apologie oder Schutzschrift für die vernünftigen Verehrer Gottes* von H. S. Reimarus. Noch für eine dritte Schrift zeichnet L verantwortlich, »Ergänzungen des Julius Firmicus«; für die beiden übrigen Aufsätze dankt er »zwey hiesigen, würdigen Gelehrten«.

22. Oktober: Auf die freundschaftlichen Mahnungen seines Verlegers Voß verspricht L: »Rechnen Sie darauf, daß [...] Sie sogleich nach Weyhnachten das Ms. zu dem zweyten Theile der vermischten Schriften, unfehlbar erhalten sollen.« Er verspricht ihm ebenfalls das Reimarische Manuskript, »zwar nicht meine Arbeit, aber besser als meine Arbeit [...]«.

26. Oktober: Von J. J. Eschenburg hatte L Goethes *Werther* und einen Aufsatz von C. H. Schmid über *Götz von Berlichingen* erhalten. Er bedankt sich für den Roman, meint aber: »Wenn [...] ein so warmes Produkt nicht mehr Unheil als Gutes stiften soll: meinen Sie nicht, daß es noch eine kleine kalte Schlußrede haben müßte?« Man könne »die poetische Schönheit leicht für die moralische nehmen [...] wenn unsers J[erusalem]s Geist völlig in dieser Lage gewesen wäre, so müßte ich ihn fast – verachten. Glauben Sie wohl, daß je ein römischer oder griechischer Jüngling sich *so* und *darum* das Leben genommen? [...] Solche kleingrosse, verächtlich schätzbare Originale hervorzubringen, war nur der christlichen Erziehung vorbehalten, die ein körperliches Bedürfniß so schön in eine geistige Vollkommenheit zu verwandeln weiß.« – »Das Ding über Götz von Ber. ist Wisiwaschi.«

11. November: An seinen Bruder Karl schreibt L, zur Bekämpfung seiner Hypochondrie stürze er sich »aus einer nichtswürdigen litterarischen Untersuchung in die andere«. Ekel vor allem »Theatralischen«: »Recht gut; sonst liefe ich wirklich Gefahr, über das theatralische Unwesen (denn wahrlich fängt es nun an in dieses auszuarten) ärgerlich zu werden, und mit Göthen, trotz seinem Genie, worauf er so pocht, anzubinden. Aber davor bewahre mich ja der Himmel!« – Wenn er »Komödie brauchte«, will er sich lieber mit den Theologen eine machen. – Auf Johann Salomo Semlers (1725-91) *Freie Untersuchung des Canons* etc. möchte er mit einer Vorrede zu einem weiteren Reimarus-Fragment antworten, unter dem Titel »Eine noch freyere Untersuchung des Canons alten und neuen Testaments«.

12. November: An Ramler: »Leisten Sie allein, was wir zusammen leisten wollten. Ein Meisterstück von Ihnen wird noch eben zu recht kommen, unser Theater von einem neuen Verderben zu retten. [...] Mit mir ist es aus; und jeder dichterische Funken, deren ich ohnedies nicht viel hatte, ist in mir erloschen.«

25. November: L empfiehlt Ebert den Wolfenbütteler Rektor Jacob Friedrich Heusinger, der sich um die freigewordene Probstei in Schöningen bewarb. (Heusinger starb 1778 als Rektor der Wolfenbütteler Schule).

26. November: L bittet Eschenburg um Friedrich von Blankenburgs (1744-96) *Versuch über den Roman* (1774).

26. Dezember: L plant die Herausgabe der nachgelassenen Schriften des jg. Jerusalem. In der Sorge, wie der von ihm verehrte Vater, der Vizepräsident des Konsistoriums zu Wolfenbüttel Johann Friedrich Wilhelm Jerusalem (1709-89), die unorthodoxen Gedanken seines Sohnes aufnehmen würde, bittet L Eschenburg um Rat.

28. Dezember: Eva König, die seit neun Monaten auf L's Briefe wartet, teilt ihm mit, daß sie ihre Seidenfabrik zu unerwartet vorteilhaften Bedingungen verkauft hat. Trotz ihrer angegriffenen Gesundheit plant sie einen raschen Abschluß ihrer Geschäfte und hofft, L im Februar wiederzusehen.

1775

Januar: Von J. F. W. Jerusalem erhält L die Erlaubnis, die philosophischen Aufsätze seines Sohnes herauszugeben.

10. Januar: An Eva König: L entschuldigt sein langes Schweigen und berichtet Hamburger und Braunschweiger Neuigkeiten.

14. Januar: An Karl: »Ich befinde mich seit vierzehn Tagen in Braunschweig, in einer höchst unangenehmen Lage, so daß ich mir durchaus durch irgend einen gewaltsamen Schritt anderwärts Luft machen muß, wenn ich hier im Schlamme nicht ersticken soll.« Er plant, über Leipzig nach Berlin zu reisen, und von dort nach Wien, obgleich er Wien, vermutlich schon jetzt das eigentliche Ziel, nicht erwähnt.

4. Februar: L läßt sich auf sechs Wochen beurlauben, und erhält eine weitere Gehaltsvorauszahlung.

8. Februar: An Wieland, der L zur Mitarbeit am *Deutschen Merkur* eingeladen hatte, schreibt er: »Je zufriedener ich damit [dem *Merkur*] bin, desto weniger kann ich mich dazu verstehen, ohne ihn in meinen eigenen Augen herab zu setzen. Was für Beiträge erwarten Sie von mir? Arbeiten des Genies? Alles Genie haben izt gewisse Leute in Beschlag genommen, mit welchen ich mich nicht gern auf einem Wege möchte finden lassen. Litterarische Beiträge? Wer wird die lesen wollen.«

10. Februar: L gibt seinem Vertreter, dem Bibliothekssekretär Karl Johann Anton von Cichin (1724-93) Anweisungen zu Vorarbeiten für eine von L geplante Umstellung eines Teils der Bibliothek: er betrifft den jüngeren Teil der Augustea, die sog. Nova Supplementa.

ca. 11. Februar: Reise nach Leipzig. »Mehr als sechsmal bin ich umgeschmissen worden, und mehr als zehnmal stekken geblieben.« (An von Kuntzsch 17. 3.).

16. Februar: Ankunft in Leipzig. In Gesprächen mit C. F. Weiße äußert sich L »äußerst unzufrieden« über »Göthens und seines Mitbruders Lenzens« neue Schauspiele. Auch gegen *Werther* sei er aufgebracht: »Jerusalem sei niemals der empfindsame Narr, sondern ein wahrer, nachdenkender, kalter Philosoph gewesen.« (D 588).

Februar: Besuch bei Ernestine Christine Reiske. Sie schreibt an J. A. Ebert (24. 2.): »Recht unerwartet und angenehm war mir die Ankunft des mir so theuren Freundes. Allein nun ist meine Glückseligkeit wieder aus. Was hilft es mir nun, daß ich einige Augenblicke höchst selig *war*? [...] Sie kennen den Freund, der sich meinen Augen nur zeigte, und sogleich wieder verschwand. Kann man ihn wohl zu sehr lieben? übersteigt nicht sein Werth alles was sich nur schätzbares denken läßt? Doch gnug mein Herz.« (S 134). – Seit dieser Zeit ist L seiner Freundin auch finanziell verpflichtet. Sie habe ihm seit 1775 »nach und nach an die 900 Taler baar übermacht« (An E. Reiske 18. 12. 77); das wird sich z. T. auf unbezahlte Büchersendungen beziehen – E. Reiske vertrieb nicht nur die *Oratores Attici*, deren Herausgabe sie aus dem Nachlaß ihres Mannes fortsetzte, sondern auch andere von J. J. Reiske hinterlassene Werke. – Es scheint, daß L einen Teil dieser Schuld durch *Nathan*-Subskriptionen aus Leipzig beglichen hat (An C. F. Weiße 27. 4. 79).

20. Februar: Reise nach Berlin; L wohnt bei seinem Bruder Karl.

Februar/März: Gespräche mit Nicolai und Mendelssohn. Eine Einladung des Prinzen Friedrich von Preußen nimmt L an; auf das Angebot einer Stellung in der Finanzverwaltung geht er nicht ein.

7. März: Er bittet Eva König, ihre Rückreise bis zu seiner Ankunft in Wien zu verschieben. »Indeß schreibe ich Ihnen [...] von dieser abentheuerlichen Reise jetzt nur soviel, daß ich eigentlich noch immer in Wolfenbüttel bin, und auch würklich wieder dahin zurück zu kehren gedenke.« Zwar habe er Empfehlungsschreiben vom österreichischen Gesandten in Berlin, gedenke aber, keinen Gebrauch davon zu machen.

9. März: Durch J. J. Bode erfährt L von dem Angebot des Hamburgischen Theaters, für den Alleinbesitz eines neuen Theaterstücks 20 Louisd'or zu zahlen. L schreibt ihm, er sei »fest entschlossen [...], auf keine Weise etwas weiter für das Theater zu arbeiten«.

14. März: Ankunft in Dresden.

März: Im Antiken-Kabinett findet L seine früher geäußerte Meinung bestätigt, daß der Kopf einer Agrippina der Statue nicht ursprünglich zugehört, noch überzeugt ihn der Abguß einer Skulptur (ein Totengerippe mit Schmetterling), daß es sich dabei um eine antike Darstellung des Todes handele. Aussicht, Nachfolger des fast erblindeten Museumsdirektors Christian Ludwig von Hagedorn (1712-80) zu werden.

15. März: Eva König bittet L inständig, seine Reise zu beschleunigen, weil sie ihrer Kinder wegen in Hamburg erwartet werde.

25. März: An den ihm befreundeten Braunschweiger Kammerherrn von Kuntzsch schreibt L, er gehe nicht nur einiger Codices der Kaiserlichen Bibliothek wegen nach Wien, sondern »auf die dringendste Veranlassung des Oesterreichschen Gesandten Baron von Swieten in Berlin. [...] sein Zureden, nebst meiner eignen gegenwärtigen so hundsvöttschen Lage [...] haben mich endlich bewogen, wenigstens das Terrain dort zu sondieren.« Er bittet v. Kuntzsch, dem Herzog einen Antrag auf Verlängerung seines Urlaubs zu überreichen. Dieser Antrag, der »die wahre Ursache« seiner Wienreise verheimliche, nennt nur private und persönliche Motive.

24. März: An Eva König: »Ich danke Ihnen, daß Sie mich also noch in Wien erwarten wollen. Und wenn ich doch nun fliegen könnte! [...] Von den Absichten meiner Reise, die nicht sowohl meine Absichten als vielmehr Andrer Absichten mit mir sind: von diesen mündlich.« Sie sollen ihn nicht abhalten, die Rückreise mit ihr zusammen anzutreten.

März: Eine Kiste mit Büchern und unveröffentlichten Manuskripten schickt L nach Leipzig, von wo der Braunschweiger Buchhändler Gebler sie nach Wolfenbüttel befördern soll. Die Sendung geht verloren und mit ihr vermutlich das abgeschlossene Ms. zur *Matrone von Ephesus,* die Entwürfe zu *D. Faust,* und die für den 2. Teil der *Vermischten Schriften* geplante *Abhandlung zur Geschichte der äsopischen Fabel.*

26.-31. März: Reise nach Wien.

31. März: Wiedersehen mit Eva König.

Anfang April: Sehr ehrenvoller Empfang L.s in Wien: das deutsche Theater spielt *Emilia Galotti* und *Minna von Barnhelm* und das Publikum feiert den Autor. »Gleich die ersten Tage« wird L am kaiserlichen Hof empfangen. (An Karl Lessing 7. 5.).
In der Bibliothek des Klosters Neuburg entdeckt L das Ms. des *Marienlebens* (1338) von Philipp dem Kartäuser.

ca. 10. April: Auf einer Reise nach Venedig trifft der 22jährige Prinz Maximilian Julius Leopold von Braunschweig mit seinem Hofmeister von Warnstedt in Wien ein. Als ihm von der Kaiserin ein Regiment angeboten wird, macht er seine Entscheidung von der Zustimmung seiner Mutter, einer

Schwester des preußischen Königs, abhängig. Inzwischen bittet er L, ihn nach Venedig zu begleiten. L glaubt, nicht ablehnen zu können, auch »in Betrachtung, daß meine Umstände dadurch nicht schlimmer werden können, und ich auf diese Weise (gesetzt, daß wir auch nicht weiter reisen, als Venedig) dennoch wenigstens einen Vorschmack von Italien bekomme«. (An Karl 7. 5.).

25. April: L bricht mit dem Prinzen und von Warnstedt nach Italien auf.

7. Mai: Ankunft in Mailand.

7. Mai: Eva König reist zu ihrem Bruder nach Heidelberg, wo sie hofft, die Rückreise nach Hamburg mit L gemeinsam zurücklegen zu können.

8. Mai: Sonne und Staub machen L.s Augen zu schaffen. Im übrigen verspricht er sich wenig Nutzen von der Reise, »da ich überall mit dem Prinzen gebeten werde, und so alle meine Zeit mit Besuchen und am Tische vergeht«. (An Eva König).

23. Mai: Ankunft in Venedig. – L besucht das Grab E. Königs und spricht mit dem Mann, in dessen Armen er starb.

2. Juni: L klagt über das Klima; er hat »zur Ader gelassen« und muß weiter berichten, daß der Prinz, der noch auf Antwort aus Braunschweig wartet, beschlossen hat, nach Florenz weiter zu reisen. »Und das hat man nun davon, wenn man sich mit Prinzen abgiebt!« (An Eva König).

3. Juni: Abreise von Venedig; über Bologna nach Florenz.

ca. 12. Juni: Von Florenz wird eine Romreise unternommen. Von diesem ersten römischen Aufenthalt berichtet Christian Friedrich Daniel Schubart (1739-91): »Lessing befindet sich wirklich in Rom und wühlt in den Alterthümern. [...] Albani, des großen Winkelmanns Freund, lud ihn schon ein paarmal zur Tafel, zeigt' ihm seine prächtige Villa, und beschenkt' ihn mit einigen der vortreflichsten Denkmähler des Alterthums.« (26. 6.; D 626)

12. Juli: Am Tage vor seiner Abreise aus Florenz schreibt L an Eva König: »Ich habe es unzähligemal bereut, daß ich mich auf eine ungewisse Aussicht wieder auf einmal so weit von Ihnen trennen lassen.« Er hat, seit ihrer Abreise von Wien, keine Nachricht von ihr, und auch seine Briefe erreichen sie nicht.

13. Juli: Die Reise führt über Pisa, Livorno nach Bastia (Korsika).

3. August: Ankunft in Genua.

4. August: Eva König reist in Begleitung eines dänischen Majors von Heidelberg nach Hamburg.

Anfang August–9. September: Aufenthalt der Braunschweiger Reisegesellschaft in Turin.

23. August: L notiert Reiseeindrücke, z. T. in der Art eines Tagebuchs (hrsg. durch W. v. Maltzahn, 1857).
L besucht Museum und Bibliothek und lernt mehrere Professoren der Universität kennen. Der Philologe Carlo Denina, 1782 nach Berlin berufen, bewundert L.s Gelehrsamkeit und seine Kenntnis der italienischen Literatur. (D 628).

9. September: »Von Turin abgereiset über Alessandria nach *Pavia*; wo wir den 11tn geblieben.« (LM XVI, 266).

12. September: »Von Pavia über Piacenza (wo wir nichts als die beiden Statuen der Herzoge Alexander und Ranutius Farnese zu Pferde zu besehen Zeit hatten) nach *Parma*, wo wir den 13tn geblieben.« In Parma werden Malerakademie, Bibliothek und die beiden Theater besichtigt. (LM XVI, 267).

14. September: »Über *Modena* von Parma nach Bologna.« (LM XVI, 268).

22. September: Ankunft in Rom.

26. September: Mit dem Gothaischen Hofrat Reiffenstein als Fremdenführer werden der Petersdom, die Villa Medici und das Museum Clementinum besichtigt.

27. September: L in der Bibliothek des Vatikan.

29. September: L besichtigt das Capitol »und das daselbst befindliche Museum«. (LM XVI, 269).

2.-4. Oktober: Exkursion nach Frascati und Albano.

September/Oktober: In seinem »Tagebuch« notiert L Anmerkungen zu den verschiedensten Gegenständen und Themen: irreführende Bemerkungen der ihm zugänglichen Reiseliteratur (J. Baretti), zur piemontesischen Mundart, zur Architektur, zu italienischen Speisen und Weinen, Erklärungen italienischer Wörter, ein Verzeichnis italienischer Gelehrter, Anmerkungen zur italienischen Literatur und zum Theater etc. Vom 4. Oktober an verzichtet L darauf, die Stationen der Reise zu datieren.

Oktober: Papst Pius VI. empfängt die Reisenden; er unterhält sich in deutscher Sprache mit L und soll ihn aufgefordert haben »eine Beschreibung von Rom und den Merkwürdigkeiten dieser Stadt aufzusetzen«. (D 632).

Mitte Oktober: Der Prinz, der nicht zurückkehren will, bis er die Entscheidung des Herzogs über seine Zukunft erhalten hat, beschließt eine Reise nach Neapel.

17. Oktober: Ehrenvoller Empfang am Hof von Neapel.

Oktober: Rückreise nach Rom, wo den Prinzen die Aufforderung zur Rückkehr erwartet. Er soll ein Regiment in Frankfurt a. d. Oder übernehmen.

7. November: In Bologna findet L einen Brief des Kammerherrn v. Kuntzsch mit der Nachricht, Eva König habe Braunschweig »gesund und wohl passieret«. (An Eva König 26. 12.)

Dezember: L trennt sich von dem Braunschweiger Prinzen und fährt nach Wien, wo er Briefe von Eva König zu finden hofft.

24. Dezember: Ankunft in Wien, wo drei Briefe von Eva König auf ihn warten.

26. Dezember: An Eva König: L beteuert, seit Venedig keins ihrer Schreiben erhalten zu haben. »Ich werde nur wenig Tage in Wien bleiben, und um gewisse Fragen [...] zu vermeiden, zu niemanden von dem großen Geschmeiße kommen.« Er habe »die besten Versicherungen« aus Braunschweig erhalten und wolle sich nur ein pis-aller in Dresden sichern.

1776

5. Januar: L entzieht sich einer Einladung des Fürsten von Kaunitz durch seine Abreise. Er fährt über Prag nach Dresden.

10. Januar: Ankunft in Dresden.

Januar: Von Dresden aus fährt L für vier Tage zu Mutter und Schwester nach Kamenz, die er seit elf Jahren zum ersten Mal wieder sieht.

Im Hause des Schauspielers Johann Christian Brandes (1735-99), L kannte ihn aus seiner Breslauer Zeit und war 1765 Pate seiner Tochter Minna geworden, besucht ihn überraschend sein Bruder Theophilus aus Pirna. – Mit dem Bibliothekar Canzler bespricht L seinen Plan, Winckelmanns Werke herauszugeben.

Mitte Januar: L lernt den Kabinettsminister von Sacken kennen, der ihm eine Audienz beim Kurfürsten Friedrich August III. vermittelt.

23. Januar: An Eva König: »... dem Minister, Grafen v. S[acken], habe ich versprechen müssen, wenn ich jemals Wolfenbüttel verließe, nirgends anders, als nach Dresden zu kommen.« Der Kurfürst habe ihm die Nachfolge v. Hagedorns, des Direktors der sächsischen Kunstakademien, angeboten. Neue Braunschweiger Vorschläge, die von Kuntzsch ihm übermittelt habe, legt er dem Schreiben bei und bittet Eva um ihren Rat. »Was er mir darinn vorschlägt, ist freylich das Kürzeste, um aus allen meinen Verlegenheiten auf einmal zu kommen: nur ist mir das dabey unerträglich, daß ich, solange der Abzug [der Vorauszahlungen] dauerte, gebunden seyn würde, und andre vortheilhafte Gelegenheiten aus den Händen lassen müßte.«

14. Januar: L reist zu seinem Bruder Karl nach Berlin. Gespräche mit Nicolai über das Freimaurertum. – Vermutlich durch Nicolai lernt L Johann Jakob Engel (1741-1803), Professor am Joachimsthaler Gymnasium, kennen, dem er seinen [zweiten] Plan zu *D. Faust* beschreibt. – Erste Begegnung mit dem Dichter und Übersetzer Johann Heinrich Voß (1751-1826).

11. Februar: An Eva König: »Wenn [...] üble Laune, Unentschlossenheit und Ekel gegen Alles, was um uns ist, Krankheiten sind: so bin ich die ganze Zeit über recht gefährlich krank gewesen.«

23. Februar: Ankunft in Braunschweig. Gegen sein Erwarten wird L nicht zum Erbprinzen gebeten, um die durch v. Kuntzsch übermittelten Vorschläge zu finalisieren.

26. Februar: An Eva König: »Ich werde also [...] noch acht oder vierzehn Tage ruhig warten, und sodann dem Herzoge gerade heraus schreiben, daß mich das gänzliche Derangement meiner Affairen nöthige, eine Verbesserung zu suchen, und da ich diese in Braunschweig nicht abzusehen wisse, ich genöthigt sey, um meinen Abschied zu bitten.«

29. Februar: L begegnet dem Erbprinzen auf der Straße. Er habe sich freundlich gezeigt und werde ihn, noch vor L.s Abreise nach Wolfenbüttel, zu sich rufen lassen. (An Eva König 2. 3.)

Anfang März: Eva König warnt L vor unbedachten Schritten; sie bietet an, ihm aus seinen Schulden zu helfen.

Anfang März: L kehrt nach Wolfenbüttel zurück, ohne den Erbprinzen gesprochen zu haben. Erst die schriftlich übermittelte Drohung, er werde seinen Abschied nehmen, verschafft ihm Gehör. »Er [der E. P.] scheint im Ernst alles thun zu wollen, um es nicht dahin kommen zu lassen. ... [L soll sich] nur noch bis zu seiner [des E. P.] Rückkunft von Halberstadt gedulden, und unterdeß keinen Schritt weiter thun [...]« (An Eva König 10. 3.)

Anfang April: Der Erbprinz läßt durch v. Kuntzsch die Vorschläge wiederholen, die L bereits vorher erhalten hatte: eine Aufbesserung des Gehalts um 200 Taler, Erlassung aller bisherigen Vorschüsse, einen neuen Vorschuß von 800-1000 Talern und eine neue Wohnung oder eine entsprechende Entschädigung. »Ich sagte ihm, daß das alles recht gut sey, aber daß es mir der Pr[inz] nothwendig selbst anbieten müsse, weil ich schlechterdings nicht die geringste Bitte darum verlieren wollte; daß ich auch nicht länger dadurch gebunden seyn wollte, [...] weil das doch die Verbesserung noch nicht wäre, die mich bewegen könnte, auf alle andere Verzicht zu thun.« (An Eva König 11. 4.) – Von Kuntzsch berichtet, der Erbprinz sei zu einer mündlichen Aussprache bereit.

6. und 7. April: L in Braunschweig.

7. April, abends: Nach Wolfenbüttel zurückgekehrt, findet L eine vom 5. April datierte Einladung, den Erbprinzen morgens am 6. April aufzusuchen, da dieser am 8. April verreisen müsse. L schickt am Abend einen Brief mit einer Stafette nach Braunschweig.

8. April: Der Erbprinz reist nach Halberstadt ab.

11. April: An Eva König: »Sollte ich nun nicht leicht glauben, daß er meine Anwesenheit in Braunschweig gar wohl gewußt, und daß er mir erst den siebenten unter falschem Dato geschrieben, damit ich gar nicht mehr Zeit haben könne, ihn zu sprechen?«

April: *Philosophische Aufsätze von Karl Wilhelm Jerusalem: herausgegeben von Gotthold Ephraim Lessing* erscheinen in der Waisenhausbuchhandlung in Braunschweig. In seiner Vorrede versucht L, seinen Freund als einen von Werther sehr verschiedenen Menschen zu zeichnen: »Aber warum wollen einige [von Jerusalems Freunden] mir nicht glauben, daß dieser feurige Geist nicht immer sprühte und loderte, sondern unter ruhiger und lauer Asche auch wieder Nahrung an sich zog [...]« (LM XII, 294).

Frühjahr: Erste Entwürfe zum *Nathan.*

Ende April: Lektüre des anonym erschienenen Trauerspiels von Johann Anton Leisewitz (1752-1806) *Julius von Tarent.* L äußert sich gegenüber Eschenburg sehr anerkennend über das Stück, für dessen Verfasser er Goethe hält. Auf Eschenburgs Zweifel meint L: »Desto besser! so giebt es außer Göthen noch Ein Genie, das so etwas machen kann.« (D 674). – Engere Bekanntschaft mit dem 24jährigen Leisewitz, der sich im November 1775 in Braunschweig als Rechtsanwalt niedergelassen hatte.

2. Mai: L äußert sich zuversichtlich über seine beruflichen Aussichten und fordert Eva König auf, ihren Geschwistern ihre vorstehende Vermählung mitzuteilen. Er rät ihr, ihre Gelder nicht nach Braunschweig zu transferieren, um so Abzüge zu sparen. Er dringt weiter darauf, daß sie alle Ansprüche auf ein Kapital von 10000 Talern, das ihr Bruder ihr und ihren Kindern geschenkt hatte, zu Gunsten ihrer Kinder aufgibt.

4. Mai: L teilt C. G. Heyne mit, »das Schicksal der Reiskischen Manuskripte« sei nicht entschieden, bietet ihm aber deren Benutzung an. Ernestine Reiske hatte sie L geschickt und ihn gebeten, eine Vita ihres Mannes zu schreiben.

5. Juni: Die Aussprache mit dem Erbprinzen hat zu L.s Zufriedenheit stattgefunden. L hat die ihm bereits mehrfach gemachten Bedingungen angenommen und dazu, obgleich er »es sehr deutsch heraus gesagt, wie wenig [er sich] daraus mache«, den Hofratstitel. (An Eva König, 5. und 23. 6.)

16. Juni: L schickt Leisewitz mit Briefen an seine Berliner Freunde nach Berlin.

ca. 22. Juni: L quittiert den Empfang von 1000 Talern Vorschuß, der in acht vierteljährlichen Terminen zurückzuzahlen ist. Der Betrag entspricht der Höhe seiner Schulden.

23. Juni: L erklärt Eva König, er habe den Hofratstitel nicht abgelehnt, aus Sorge, den vom Schlag getroffenen, halbseitig gelähmten Herzog zu beleidigen.

9. Juli: L befaßt sich mit der Literatur zur Physiognomik. Er kommt zu dem Resultat, daß Johann Caspar Lavater (1741-99), den er für einen »enthusiastischen Narren« hält, »die Physiognomik in einer Ausdehnung genommen, in welcher ihr dieser Name gar nicht zukömmt«. (An Nicolai).

11. Juli: L schreibt Eva König, er werde in Begleitung J. J. Eschenburgs Anfang August in Hamburg sein.

15. Juli: L schickt seiner Mutter 10 Louisd'or.

Juli: L schickt die ersten Druckbogen des vierten Beitrags *Zur Geschichte und Litteratur,* der fünf weitere Fragmente aus der Reimarus-Schrift bringt, an J. A. H. Reimarus nach Hamburg. Auf dessen Besorgnisse antwortet L: »Denn was geschehen soll, muß bald geschehen oder niemals; was hilft es, wenn der Pfeil erst dann abprellt, wenn das Ziel verrückt ist?«

Juli: Eva König, die sich auf dem Landgut der Familie Schuback in York (bei Hamburg) erholt hat, bittet L, seine Reise zu beschleunigen.

3. August: L reist in Begleitung Eschenburgs zu Eva König nach Hamburg.

August: L lernt die Familie Schuback kennen und erneuert seine Bekanntschaft mit Klopstock und J. H. Voß.

20. August: L mit Eschenburg und Klopstock zu Besuch bei Elise Reimarus.

August: Durch Eva Königs Bruder, den inzwischen nach Heidelberg umgesiedelten Professor J. G. Hahn, erfährt L von Plänen, ihn an das neuerrichtete Mannheimer Theater zu berufen und daß der Buchhändler Christian Friedrich Schwan mit den Vorschlägen des Pfälzer Kurfürsten an ihn unterwegs ist.

30. August: L kehrt zurück nach Braunschweig.

2. September: L ist nach Wolfenbüttel weitergefahren und berichtet Eva, das ihm zugedachte ehemalige Börnersche Haus sei noch nicht geräumt, und die Ankunft Schwans stehe noch aus.

5. September: Der Buchhändler Schwan bringt L die Ernennung zum Mitglied der Mannheimer Akademie der Wissenschaften. Die Mitgliedschaft trägt ihm ein Jahresgehalt von 100 Louisd'or ein und verpflichtet ihn, alle zwei Jahre gegen Erstattung der Reisekosten an den Sitzungen der Akademie teilzunehmen. Man hofft ebenfalls, daß er beim Aufbau des Mannheimer Nationaltheaters mit seinem Rat behilflich ist, und erwartet ihn zu Beginn des kommenden Jahres »auf kurze Zeit« in Mannheim.

6. September: An Eva König: »Von Aufsicht über oder von Arbeiten für das Theater, ist gar nicht die Rede gewesen [...]«; außerdem bedeute seine Mitgliedschaft, daß ihr die »Dezimation« erlassen würde, sollte sie ihre Heidelberger Gelder außer Landes bringen. Schwan reise am 7. ab, dann wolle er »mit Ernste« an ihr vornehmstes Geschäft, die Hochzeitsvorbereitungen, denken.

September: Der Herzog erlaubt seinem Bibliothekar, die ihm angetragene Ehre anzunehmen, und bewilligt ihm Urlaub, soweit er »bey seinen jetzigen, und dermaleinst ihm noch zu bestimmenden Geschäften Statt haben könne«. (KG 367).

10. September: L hofft, am 6. Oktober in Hamburg zu sein und möchte das Angebot der Schubacks, die Hochzeit in York zu feiern, schon deshalb annehmen, weil sie auf Braunschweiger Boden, höchstens zwei Stationen vor der Stadtgrenze stattfinden könne. (An Eva König).

13. September: L mietet eine Wohnung in Wolfenbüttel, da das ihm zugewiesene Haus nicht rechtzeitig frei sein wird.

15. September: L informiert Karl über das Mannheimer Angebot und erwähnt seine Heiratsabsichten: »Die Person nehmlich, außer der ich nun schlechterdings keine haben mag, ist eine geborne Pfälzerin«; ihren Namen erwähnt er nicht.

17. September: An Eva König: »Ein unvermutheter Besuch von G[leim] aus H[alberstadt] hat mich um drey volle Tage gebracht [...] Daß mir der Mann doch immer so ungelegen kommen muß!«

18. September: Der pfälzische Minister von Hompesch bittet L, seine Reise zu beschleunigen, »weil das Manheimer Nationaltheater noch diesen Winter zu Stande kommen und eröffnet werden müsse. Da es aber an Schauspielern fehle, so ersuche er ihn zugleich, dergleichen zu engagiren, und sie im November nach Manheim zu schicken.« (KG 369).

20. September: L bittet, daß außer Schubacks Verwandten und Evas Schwager F. W. König keine Gäste und Zeugen geladen werden.

26. September: L bittet Karl, sich nach Schauspielern für die Mannheimer Bühne umzusehen. Seine eigenen Versuche, Kräfte aus der Braunschweigischen Truppe zu engagieren, führen zum Engagement von drei Schauspielern.

26. September: L schreibt seinem Bruder Theophilus von seinen Heiratsplänen und lädt ihn für den kommenden Sommer nach Wolfenbüttel ein.

27. September: L verweist auf die Schwierigkeit, zu dieser Zeit Schauspieler zu finden, da sie gewöhnlich bis zur Fastenzeit vertraglich gebunden seien. (An von Hompesch)

2. Oktober: L befürchtet, daß in Mannheim zu viel von ihm erwartet wird. An Schwan schreibt er: »Eine ordentliche

Direction über das Theater zu übernehmen, wissen Sie wohl, wie weit ich davon entfernt bin.« Er glaubt jedoch, v. Hompesch zufriedengestellt zu haben.

5. Oktober: L reist über Celle nach Buxtehude; von dort zusammen mit Eva König nach York (bei Hamburg).

8. Oktober: Trauung im Schubackschen Landhaus in York.

14. Oktober: Die Neuvermählten reisen mit Evas Kindern Amalie (15), Engelbert (11) und L.s Patensohn Fritz (8) nach Wolfenbüttel. (Evas ältester Sohn Theodor wohnt einer Fußkrankheit wegen seit Juni 1775 bei einem Arzt in Landau.) Sie beziehen das obere Stockwerk des Meißnerschen Hauses am Schloßplatz in Wolfenbüttel.

November/Dezember: L befaßt sich mit dem Engagement von Schauspielern für die Mannheimer Bühne. Die für das Jahresende geplante Reise nach Mannheim wird auf das kommende Jahr verschoben. – Arbeit an den »Gegensätzen des Herausgebers« zu den Reimarus-Fragmenten.

1777

8. Januar: L gratuliert seinem Bruder Karl, der sich mit einer Tochter des Verlegers Voß verheiratet hatte. – Wohlwollende Kritik der von Karl umgearbeiteten *Kindermörderin* (1776) von Heinrich Leopold Wagner (1747–1779). Mit Bezug auf Karls Vorrede bemerkt L: »Lenz ist immer noch ein ganz anderer Kopf, als Klinger, dessen letzte Stücke [*Die Zwillinge* (1776)] ich unmöglich habe auslesen können.«

Anfang Januar: Der vierte Teil der Beiträge *Zur Geschichte und Litteratur* erscheint. Er enthält neben den »Gegensätzen des Herausgebers« fünf weitere Fragmente aus der Schrift des Reimarus. Der nicht genannte Verfasser wendet sich im ersten gegen »die Verschreyung der Vernunft auf den Kanzeln«; im zweiten gegen die Möglichkeit einer Offenbarung, »die alle Menschen auf eine gegründete Art glauben könnten«. In den restlichen Fragmenten befaßt er sich mit Widersprüchen im A. T. und N. T. und deren Interpretation. – In seinem Nachwort sucht L die Wirkung der radikaldeistischen Thesen abzuschwächen: »Aber was gehen dem Christen dieses Mannes Hypothesen, und Erklärungen und Beweise an? Ihm ist es doch einmal da, das Christenthum, welches er so wahr, in welchem er sich so selig *fühlet«* (LM XII, 428), und in seinen »Gegensätzen« versucht er den Theologen zu demonstrieren, wie diesen Thesen vielleicht mit Argumenten beizukommen wäre. Zum Problem der Offenbarung fügt er die §§ 1-53 der erst 1780 veröffentlichten *Erziehung des Menschengeschlechts* ein, ohne sich als Verfasser zu identifizieren. Der 5. u. 6. Teil der *Beyträge* bringt 1781, nach L.s Tod, von ihm zur Veröffentlichung vorbereitetes Material, das Eschenburg herausgibt.

17. Januar: L reist nach Mannheim.

22. Januar: In Darmstadt Wiedersehen mit Matthias Claudius.

Januar: Ehrenvolle Aufnahme in Mannheim. – L lernt Goethes Freund Johann Heinrich Merck (1741-91) kennen, nähere Bekanntschaft mit Friedrich Müller (Maler Müller) (1749-1825). – Zum Theater unterbreitet L detaillierte Vorschläge, im Wesentlichen: Finanzierung durch den Hof; die besten Kräfte der Seylerschen Truppe unter dessen Direktion zu übernehmen und durch junge Pfälzer Schauspieler zu ergänzen; Aufsicht und Auswahl der Stücke durch ein Komitee der Akademie. Aus lokalen Interessen gespeiste Intrigen desavouieren diesen Plan. L lehnt in unmißverständlicher Weise ab, sich über die bereits getroffenen Abmachungen hinaus für die Mannheimer Pläne zu engagieren. Um ihn dennoch zu halten, trägt von Hompesch ihm »die Oberkuratel« der Heidelberger Universität an, ein Vorschlag, auf den L nicht eingeht.

30. Januar: J. F. W. Zachariä stirbt.

Ende Februar: L reist zu seinen Verwandten nach Heidelberg.

1. März: An Friedrich Müller: »Ich danke Ihnen für alle die freundschaftlichen Bemühungen recht herzlich. – Aber *abwarten* ist das einzige, was ich bey der Sache thun kan. Denn ich will mich schlechterdings nicht aus meinem Vortheil geben, und aus dem *Gebetenen* der *Bittende* werden. Der Minister weiß meine Lage, das ist genug: und einerley Ein mal Eins haben wir auch.«

Anfang März: Der Mannheimer Regierungsrat von Stengel berichtet: »Ich mußte Leßing sehr viel Verbindliches vom Churfürsten sagen, ihm eine mit Dukaten gefüllte goldene Dose, dann die Folge der Churfürsten von der Pfalz [...] in goldenen [laut KG kupfernen] Medaillen überbringen, dann wurden ihm seine Reisekosten [...] vergütet und sein Wirth bezahlt und Leßing verschwand, wie er gekommen war.« (D 722) (So die vermutlich falsche Version des Kabinettsekretärs; vgl. S. 99.)

2. März: Zusammen mit seinem Stiefsohn Theodor reist L über Darmstadt und Göttingen nach Wolfenbüttel zurück.

8. März: L.s Schwester Dorothea Salome schickt ihm die Nachricht vom Tod seiner Mutter nach Wolfenbüttel.

20. März: An Dorothea Salome Lessing: »Wie sehr mich die Nachricht [...] gerührt hat, brauche ich dir nicht zu sagen. [...] Die beste Art über sie zu klagen, [...] ist, dich nicht zu vergessen, die du ihr die letzten Jahre ihres Lebens so erträglich gemacht hast.«

20. März: An Karl über die enttäuschenden Mannheimer Erfahrungen: er habe sich noch nie mit dem deutschen Theater abgegeben, »ohne Verdruß und Unkosten davon zu haben«. – Bei seinen »theologischen Stänkereyen« gehe es ihm mehr um den gesunden Menschenverstand als um die Theologie. Er ziehe »die alte orthodoxe (im Grunde *tolerante*) Theologie, der neuern (im Grunde *intoleranten*)« vor, »weil jene mit dem gesunden Menschenverstande offenbar streitet, und diese ihn lieber bestechen möchte«.

März: Der Minister von Hompesch bietet L noch einmal die Oberaufsicht über die Universität Heidelberg an, wenn L sie nicht annähme, wären »seine auf [L] gebauten Schlösser auf einmal zertrümmert!« Von der ihm ausgesetzten Pension und der abgabenfreien Transferierung des Königschen Vermögens ist nicht mehr die Rede. (KG 374; an F. Müller 21. 3. 77).

21. März: »Wenn Sie, mein lieber Müller, sich nicht erinnern, was ich hierauf schon geantwortet, so dürffen Sie sich nur fragen, was Sie selbst darauf antworten würden?« (An F. Müller).

27. März: L rät Ernestine Reiske, die von ihrem Mann hinterlassenen Manuskripte in Dänemark zu verkaufen; mit Bezug auf sein Mannheimer Erlebnis schreibt er: »ein Grosser und ich merken es sehr bald, daß keiner für den andern gemacht ist.«

28. März: Theophilus besucht seinen Bruder in Wolfenbüttel.

2. April: Mit seinem Bruder Theophilus und seinem Stiefsohn Theodor reist L zu Eschenburg nach Braunschweig.

7. April: Der Minister von Hompesch schreibt von dem patriotischen Verlangen, »einen Lessing für die Pfalz auf eine dauerhafte Art zu gewinnen«; und weiter, in kühner Verkehrung des wahren Sachverhalts, L habe eine stete Pension ausgeschlagen, solle aber für alle Beiträge, die er versprochen habe, Wissenschaften und Künste in Mannheim zu fördern, schadlos gehalten werden.

April: In einer bitteren Antwort, »nur einem Kinde, dem man ein gethanes Versprechen nicht halten möchte, drehet man das Wort im Munde um«, verlangt L Aufschluß über die Zukunft der Seylerschen Truppe; eine öffentliche Richtigstellung behält er sich vor.

15. April: Auf F. Müllers Beschwichtigungsversuch, wenn L nur etwas für Theater oder Akademie in Mannheim schriebe, könne er fordern, was er wolle, reagiert L mit Entrüstung: »Wie? ich sollte in Rücksicht der Pension, mit welcher man mir das Maul geschmieret, das geringste für die Akademie, oder für die deutsche Gesellschaft, oder für das Theater thun? [...] Nimmermehr, mein lieber Müller! Fragen Sie sich selbst!«

15. April: Zusammen mit Maximilian Klinger besucht der Schauspieldirektor Seyler L in Wolfenbüttel. Wohlwollende Freundlichkeit gegen Klinger, dessen Genialität L bewundert, obgleich er seine Dramen ablehnt.

Mitte April: L fördert den jungen Ludwig Timotheus Spittler, der sich drei Wochen in Wolfenbüttel mit kirchengeschichtlichen Studien befaßt.

April: L erhält anstelle des baufällig gewordenen Börnerschen das Schäffersche [i. e. das Lessing-Haus] zugewiesen.

6. Mai: L bittet F. Müller, sich »sachte und behutsam« für den in Mannheim abgewiesenen Seyler einzusetzen. »Was können Sie dafür, daß Sie ein gebohrner Pfälzer sind?«

Mai: Erst jetzt scheint L die Kosten seiner Mannheimer Reise und die Geschenke des Kurfürsten erhalten zu haben. (KG 390).
A. Seyler wird mit 1000 Talern abgefunden.

25. Mai: Auf Nicolais Bemerkung, die Berliner Theologen hielten L für einen Freigeist, die Freigeister für einen Theologen, antwortet er, er sei im vorigen Krieg zu Leipzig für einen Erzpreußen, und in Berlin für einen Erzsachsen gehalten worden: »weil ich keines von beyden war, und keines von beyden seyn mußte – wenigstens um die Minna zu machen.« (An Nicolai).

25. Mai: An seinen Bruder Karl: »Mit einem deutschen Nationaltheater ist es lauter Wind, und wenigstens hat man in Manheim nie einen andern Begriff damit verbunden, als daß ein deutsches Nationaltheater daselbst ein Theater sey, auf welchem lauter geborne Pfälzer agirten. [...] Daß die Theologen zu den Fragmenten [...] schweigen, bestärkt mich in der guten Meynung, die ich jederzeit von ihnen gehabt habe. Mit der gehörigen Vorsicht kann man ihrentwegen schreiben, was man will.«

1. August: L beginnt, Material *Zur Geschichte der deutschen Sprache und Literatur* zu sammeln. (Der Entwurf wurde 1795 von Fülleborn herausgegeben).

12. September: L in Hannover.

20. September: Für Nicolai will L nach »alten Liedern« in der Bibliothek gesucht haben, zitiert ihm aber nur Texte aus eigener Erinnerung. – Für den Winter plant er die Fortsetzung der *Beyträge* und bietet Nicolai ebenfalls einen dritten Band *antiquarischer Briefe* an, in dem er in Italien gesammelte Materien zu verarbeiten plant.

20. September: L bittet seinen Bruder Karl, Theodor, L.s ältesten Stiefsohn, auf einen Monat zu sich zu nehmen. Theodor wolle »mit aller Gewalt das Militair ergreifen«, und in Berlin sehen, »ob der preußische Dienst wohl seine Sache wäre«.

September: Als erste der durch die Veröffentlichung der Reimarus-Fragmente bewirkten Streitschriften erscheint *Über die Evidenz der Beweise für die Wahrheit der christlichen Religion* von dem Direktor des Hannoverschen Lyceums Johann Daniel Schumann (1714-87).
L antwortet mit *Ueber den Beweis des Geistes und der Kraft*. Der im verbindlichen Ton gehaltenen Schrift folgt der Dialog *Das Testament Johannis. Ein Gespräch*. (Braunschweig). L.s Antwort provoziert Schumann zu einer Erwiderung (Dezember 77), auf die L nicht mehr eingeht, weil er seinen Kontrahenten nicht lächerlich machen möchte.

11. November: Mendelssohn, der sich mehrere Wochen in Hannover aufhält, hat das Ms. zu *Ernst und Falk. Gespräche für Freymäurer* gelesen.

19. Dezember: L bittet Karl, dem Verleger Voß eine »Schrift von acht bis zehn Bogen« anzukündigen, die L zu Ostern gedruckt sehen möchte. – Es handelt sich um die *Neue Hypothese über die Evangelisten, als bloß menschliche Geschichtsschreiber betrachtet.*

20. Dezember: Auf der Rückreise besucht Mendelssohn L in Wolfenbüttel; er bringt L.s Stiefsohn Theodor zu Karl nach Berlin.

Dezember: Durch Eschenburg erfährt L von dem ersten Angriff des Hamburger Hauptpastors Johann Melchior Goeze, der am 17. Dezember in den Hamburger *Freywilligen Beyträgen* erschienen war.

Dezember: Umzug der Familie L in das Schäffersche Haus.

25. Dezember: L.s Sohn Traugott geboren. Das Kind lebt nur 24 Stunden, die Mutter ist mehrere Tage nicht bei vollem Bewußtsein.

31. Dezember: »Mein lieber Eschenburg, Ich ergreiffe den Augenblick, da meine Frau ganz ohne Besonnenheit liegt, um Ihnen für Ihren gütigen Antheil zu danken. Meine Freude war nur kurz: Und ich verlor ihn so ungern, diesen Sohn! denn er hatte so viel Verstand! so viel Verstand! – Glauben Sie nicht, daß die wenigen Stunden meiner Vaterschaft, mich schon zu so einem Affen von Vater gemacht haben! Ich weiß, was ich sage. – War es nicht Verstand, daß man ihn mit eisern Zangen auf die Welt ziehen mußte? daß er sobald Unrath merkte? – War es nicht Verstand, daß er die erste Gelegenheit ergriff, sich wieder davon zu machen? – Freylich zerrt mir der kleine Ruschelkopf auch die Mutter mit fort! – Denn noch ist wenig Hoffnung, daß ich sie behalten werde. – Ich wollte es auch einmal so gut haben, wie andere Menschen. Aber es ist mir schlecht bekommen. Lessing.«

1778

3. Januar: Evas Zustand hat sich gebessert. L bittet Eschenburg, ihm noch einmal »die bewußte schwarze Zeitung (i. e. die *Freywilligen Beyträge,* in denen Goezes Angriff erschienen war) zu schicken.

5. Januar: L schickt seinem Bruder Karl die Nachricht vom Tod seines Sohnes. »[...] die Mutter lag ganzer neun bis zehn

Tage ohne Verstand, und alle Tage, alle Nächte jagte man mich ein paarmal von ihrem Bette, mit dem Bedeuten, daß ich ihr den letzten Augenblick nur saurer mache. Denn mich kannte sie noch [...] seit drey Tagen habe ich die zuverlässige Hoffnung, daß ich sie diesmal noch behalten werde.«

7. Januar: An Eschenburg: »Ich kann mich kaum erinnern, was für ein tragischer Brief das kann gewesen seyn, den ich Ihnen soll geschrieben haben.« Evas Zustand hat sich wieder verschlimmert, L hofft, »bald wieder hoffen zu dürfen.«

10. Januar: Eva Lessing stirbt.
L schickt die Nachricht an Eschenburg: »Meine Frau ist todt: und diese Erfahrung habe ich nun auch gemacht. Ich freue mich, daß mir viel dergleichen Erfahrungen nicht mehr übrig seyn können zu machen; und bin ganz leicht. – Auch thut es mir wohl, daß ich mich Ihres, und unsrer übrigen Freunde in Braunschweig, Beyleids versichert halten darf. Der Ihrige Lessing.«

12./13. Januar: L benachrichtigt seinen Bruder Karl und seinen Stiefsohn Theodor.

Januar: Vermutlich noch vor Jahresende las L die gegen die *Fragmente* gerichtete Schrift des Wolfenbütteler Superintendenten Johann Heinrich Reß, *Die Auferstehungsgeschichte Jesu Christi* etc. (1778 erschienen); er antwortet »seinem Nachbarn« in *Eine Duplik* (o. N., Braunschweig).

Januar: Gegen Goezes Angriff vom 17. Dezember verfaßt L *Eine Parabel* und *Die Bitte*; beide Texte in sehr versöhnlichem Ton; L nennt Goeze einen »ehrwürdigen Mann«, und versichert, er könne ihn, den er »von einer Seite haben kennen lernen, von welcher viele ihn nicht kennen wollen«, auch »ehrwürdiger Freund« nennen. (LM XIII, 93).

24. Januar: Karl teilt seinem Bruder mit, er habe den jungen Theodor König nicht von der Rückreise nach Wolfenbüttel abhalten können.

28. Januar: K. A. Schmid dankt für die Mitteilung der *Duplik*.

30. Januar: In den *Freywilligen Beyträgen* veröffentlicht Goeze seinen zweiten, ungleich heftigeren Angriff auf L, den er diesmal mit Namen nennt.

25. Februar: L freut sich, daß Karl, der die *Duplik* gelesen hat, »das haut-comique der Polemik zu goutiren« anfängt. Er kündigt ihm ein weiteres »Scharmützel« (»eine Schrift wider

Goezen«) und »das erste Treffen« (die *Neue Hypothese über die Evangelisten) an:* »Etwas Gründlicheres glaube ich in dieser Art noch nicht geschrieben zu haben.« – Diese unvollendet gebliebene Abhandlung erschien erst 1784 im *Theologischen Nachlaß.*

Februar: Im *Absagungsschreiben* wendet sich L schärfstens gegen Goezes Invektive, die er inzwischen gelesen hat. »Ich will schlechterdings von Ihnen nicht als der Mann verschrieen werden, der es mit der Lutherischen Kirche weniger gut meynet, als Sie. Denn ich bin mir bewußt, daß ich es weiter besser mit ihr meyne, als der, welcher uns jede zärtliche Empfindung für sein einträgliches Pastorat, oder dergleichen, lieber für heiligen Eifer um die Sache Gottes einschwatzen möchte.« (LM XIII, 101).
Zur gleichen Zeit verteidigt L in den *Axiomata, wenn es deren in dergleichen Dingen giebt. Wider den Herrn Pastor Goeze, in Hamburg* die Kernstellen seiner »Gegensätze«: daß das Christentum älter sei als die biblischen Schriften und unabhängig von seiner schriftlichen Überlieferung bestehe; demnach sei Kritik an der Überlieferung nicht zugleich Angriff auf die Religion.

März: Beide Schriften, die *Parabel. Nebst einer kleinen Bitte, und einem eventualen Absagungsschreiben* und die *Axiomata* etc. erscheinen in der Waisenhausbuchhandlung in Braunschweig.

16. März: L schickt seine »doppelte Antwort gegen Götzen« an Karl. »Und ich denke, sie wird [Deinen Beifall] [...] haben, wenn Du bedenkst, daß ich meine Waffen nach meinem Gegner richten muß, und daß ich nicht alles, was ich γυμναςικως schreibe, auch δογματικως schreiben würde.«

17. März: In den *Freywilligen Beyträgen* erscheint eine Rezension von Friedrich Wilhelm Maschos *Vertheidigung der geoffenbarten christlichen Religion.* L hält Goeze für den Rezensenten.

26. März: Auf Eschenburgs Anfrage teilt L mit, er fände in der Bibliothek nichts von Simon Dach, »vom Rist, ausser seinem geistlichen Schunde und einem elenden Drama, nichts«, nur Julius Zincgrefs Gedichte könne er ihm schicken.

27. März: Das Rätselraten über den Verfasser der *Fragmente* hat begonnen. L muß sich gegenüber J. A. H. Reimarus dagegen verwahren, dessen Vater als den Autor identifiziert zu haben. Selbst der Licentiat Albrecht Wittenberg, Alliierter Goezens und Herausgeber des Hamburger *Reichs-Postreuters,* habe die Behauptung, der verstorbene Reimarus sei der Verfasser, »für eine schwarze Verleumdung« erklärt. »Wer wird diesem grossen Manne zu widersprechen wagen [...]?« – L kündigt den Druck des letzten Fragments an, »Maschos albernes Geschwätz« zwinge ihn dazu.

6. April: In Braunschweig erscheint L.s *Anti-Goeze. D. i. Nothgedrungener Beyträge zu den freywilligen Beyträgen des Hrn. Past. Goeze ERSTER (Gott gebe, letzter!).*

7. April: Goeze veröffentlicht *Etwas Vorläufiges gegen des Herrn Hofraths Leßings mittelbare und unmittelbare feindselige Angriffe auf unsre allerheiligste Religion, und auf den einigen Lehrgrund derselben, die heilige Schrift.* (Hamburg) Es enthält, neben den in den *Freyw. Beytr.* erschienenen Aufsätzen, Besprechungen von Schriften gegen den Fragmentisten und seinen Herausgeber.

18. April: »Mein Herr Hauptpastor, Ich erhielt Ihr *Etwas Vorläufiges* gegen meine – wenn es nicht Ihre erste Lüge ist – *mittelbare und unmittelbare feindselige Angriffe auf unsre allerheiligste Religion etc* am Abend des Osterabends; und hatte noch eben Zeit, den herrlichen *Vorlauf* zu kosten.« *Anti-Goeze. ZWEITER* (Anfang Mai erschienen). (LM XIII, 148).

19. April: L bedankt sich bei Claudius für dessen *Nachricht von meiner Audienz beim Kaiser von China,* in der er sich für den von vielen Seiten bedrängten L einsetzt.

Mai: In kurzen Abständen erscheinen der dritte bis siebte *Anti-Goeze.*

Mai: *Lessings Schwächen, gezeigt von Joh. Melchior Goezen* erscheint in Hamburg; es ist das erste von drei Stücken.

24. Mai: H. C. Boie verbringt eine Woche bei L in Wolfenbüttel.

Ende Mai: In einer gesonderten Schrift veröffentlicht L das radikalste der *Reimarus-Fragmente: Von dem Zwecke Jesu und seiner Jünger. Noch ein Fragment des Wolfenbüttelschen Ungenannten.* (Braunschweig)

7. Juni: Die Flut der gegen L und die *Fragmente* gerichteten Streitschriften steigt: »Wenn ich bedenke, was Du jetzt nur lesen mußt, einen Behn, einen Götz, einen Kleuker, einen Lüderwald, einen Mascho, einen Richter und einen Silberschlag [...] Journale, Zeitungen und Programme«, schreibt

Anti-Goeze.

Multa ſunt ſic digna revinci, ne gravitate adorentur.

Tertullianus.

D. i. Nothgedrungener Beyträge

zu den

freywilligen Beyträgen des Hrn. Paſt. Goeze

ERSTER.

(Gott gebe, letzter!)

(3)

Braunſchweig, 1778.

Karl, der im Vorwort zum *Theologischen Nachlaß* (1784) ca. 30 der bis dahin erschienenen Streitschriften anführt.

Juni: Achter und neunter *Anti-Goeze.*

Juni: Im zweiten Stück von *Lessings Schwächen* fordert Goeze »die bestimmteste Erklärung« von L, »was für eine Religion er durch das Wort ›christliche Religion‹ verstehe, und daß er uns die wesentlichen Artikel der Religion anzeige, zu welcher er sich selbst bekennt, und deren so großer Freund und Verteidiger zu sein er sich rühmt«. (S. 66)

Anfang Juli: Zehnter und elfter *Anti-Goeze.*

6. Juli: Der Direktor der Braunschweiger Waisenhaus-Buchhandlung erhält den Kabinettsbefehl des Herzogs, den Vertrieb des dritten und vierten Teils der *Beyträge,* in denen die *Fragmente* erschienen waren und aller darauf bezogenen Schriften, einzustellen; außerdem seien L.s Schriften in Zukunft der Zensur unterworfen.

11. Juli: L versucht den Beschluß, den er als ein Mißverständnis des Sekretärs darzustellen sucht, rückgängig zu machen. Er bittet den Herzog, »diese Kleinigkeit einer zweyten Überlegung [zu] würdigen, und der Buchhandlung des Waysenhauses näher bedeuten [zu lassen], *daß unter dem Verbothe der Fragmente meine Antigoezischen Blätter nicht gemeynet sind, und sie solche nach wie vor, ohne Censur, in ihrem Verlage drucken lassen könne*«. (An Herzog Karl von Braunschweig)

12. Juli: An Eschenburg: »Wider die Confiscation des Fragments habe ich nichts. Aber wenn das Ministerium darauf besteht, auch meine Antigoezischen Schriften confisciren zu lassen [...] bitte [ich] um meinen Abschied. Das ist der Schluß vom Liede, der auch sein Anmuthiges hat.«

13. Juli: L erhält Anweisung, das Reimarus-Manuskript, von dem er in den *Beyträgen* gesagt hatte, es stamme aus der Wolfenbütteler Bibliothek, zusammen mit dem herzoglichen Schreiben, das ihm Zensurfreiheit gewährte, zurückzugeben. – Gleichzeitig werden der Magistrat der Stadt Braunschweig und der Senat der Universität Helmstedt aufgefordert, alle Exemplare der Schrift *Von dem Zwecke Jesu und seiner Jünger* zu konfiszieren.

20. Juli: L schickt dem Herzog das Geforderte, wiederholt seine »unterthänigst gethaene höchst billige Bitte« hinsichtlich des *Anti-Goeze* und schließt: »Auch kann die hiesige Confis-

Etwas Vorläufiges

gegen

des Herrn Hofraths Leßings

mittelbare und unmittelbare

feindselige Angriffe

auf

unsre allerheiligste Religion,

und

auf den einigen Lehrgrund derselben, die heilige Schrift,

von

Johan Melchior Goeze,

Hauptpastor an der St. Catharinen-Kirche in Hamburg.

Hamburg.
Gedruckt und zu bekommen bey D. A. Harmsen.
1778.

cation dieser Blätter durchaus nichts helffen; weil ich sie so fort, zu blossem Schaden der hiesigen Waysenhausbuchhandlung, auswärts muß nachdrucken lassen, um sie auswärts fortsetzen zu können.«

23. Juli: An Karl: »Allerdings ist es wahr, daß das hiesige Ministerium, auf Ansuchen des Consistorii, das neue Fragment und zugleich meine Antigötzischen Schriften verboten [...] Vom Corpore evangelico ist nichts gekommen, noch viel weniger vom Reichshofrath.« Die Antwort auf Goezens Frage, im 2. Stück von *Lessings Schwächen,* sei bereits geschrieben. »Ich habe den Bogen zwar schon nach Hamburg geschickt, um ihn da drucken zu lassen; wenn Du ihn indeß doch auch in Berlin willst drucken lassen, so kannst Du es nur thun.«

Ende Juli: L bittet den Bruder des regierenden Herzogs, Ferdinand von Braunschweig, um Unterstützung, damit sein Stiefsohn Theodor König in eine militärische »Laufbahn gewiesen würde, in die er sich sonst, auch wider meinen Willen, auf gutes Brot blindling zu werffen bereit ist.« Ebenfalls schickt er dem Herzog als dem Großmeister der norddeutschen Logen das Ms. zu den fünf *Gesprächen für Freymäurer.*

2. August: L beruhigt Elise Reimarus, die auf Grund von Gerüchten fürchtet, L könnte den Wolfenbütteler Dienst quittieren und seinen Gegnern das Feld überlassen: »[...] den Spaß hoffe ich noch selbst zu erleben, daß die meisten Theologen auf meine Seite treten werden, um mit dem Verlust eines Fittigs noch eine Weile den Rumpf zu retten.«

3. August: Der Herzog wiederholt, daß es mit der Konfiszierung auch des Anti-Goeze »ein für allemal sein Bewenden« habe; die Zensur sei über alle Schriften L.s verhängt; weiter habe sich L, »die hier einmal confiscirten Schriften auswärts nachdrucken zu lassen, bey Vermeidung unangenehmer Verordnung [...] zu enthalten«.

Anfang August: *Gotth. Ephr. Lessings nöthige Antwort auf eine sehr unnöthige Frage des Herrn Hauptpastor Goeze, in Hamburg* erscheint etwa zur gleichen Zeit in Hamburg und, bei Voß, in Berlin. – L antwortet darin auf die verunglückte Gretchenfrage Goezens, daß er »unter der christlichen Religion alle diejenigen Glaubenslehren verstehe, welche in den Symbolis der ersten vier Jahrhunderte der christlichen Kirche enthalten sind«. Diese sog. Regula fidei sei älter als das

NT, sie sei »der Fels, auf welchen die Kirche Christi erbauet worden, und *nicht die Schrift«*. (LM XIII, 332f.)

5. August: L schickt ein Dutzend Exemplare der *Nöthigen Antwort* an Eschenburg zur Verteilung an seine Braunschweiger Freunde.

8. August: Anfrage L.s beim Herzog, ob auch seine auswärts gedruckten Schriften der Braunschweiger Zensur unterworfen wären. Die *Nöthige Antwort* legt er bei.

9. August: L schildert Elise Reimarus seine mißliche Lage in Wolfenbüttel: »Doch ich bin zu stolz, mich unglücklich zu denken [...] und lasse den Kahn gehen, wie Wind und Wellen wollen. Genug, daß ich ihn nicht selbst umstürzen will!« Zur jüngsten Phase der Kontroverse mit Goeze schreibt er: »Denn da er sich nun einmal verredet hat, und wissen will, nicht was ich von der christlichen Religion *glaube*, sondern was ich unter der christlichen Religion *verstehe*: so habe ich gewonnen [...]«

11. August: An Karl schreibt L, er habe in der vergangenen Nacht »einen närrischen Einfall« gehabt: »Ich habe vor vielen Jahren einmal ein Schauspiel entworfen, dessen Inhalt eine Art von Analogie mit meinen gegenwärtigen Streitigkeiten hat [...] Wenn Du und Moses es für gut finden, so will ich das Ding auf Subscription drucken lassen.« Er legt die *Ankündigung des Nathan* bei, und verweist auf seine Quelle, »das *Decamerone* des Bocaccio«; er habe eine »sehr interessante Episode dazu erfunden« und gedenkt, den Theologen damit »einen ärgeren Possen« zu spielen, »als noch mit zehn Fragmenten«.

17. August: Der Herzog läßt L mitteilen, »daß er in Religions-Sachen, so wenig hier als auswärts [...] ohne vorherige Genehmigung des Fürstl. Geheimen Ministerii ferner etwas drucken laßen möge«.

25. August: Karl berichtet von Mendelssohns Bedenklichkeiten gegen ein Stück, »worin die Thorheiten der Theologen belacht würden«; trotzdem hat er die *Ankündigung des Nathan* veröffentlicht und sammelt bereits Subskriptionen.

26. August: Elise Reimarus schickt das dritte Stück von *Lessings Schwächen*.

Anfang September: L verschickt die Ankündigung seines *Nathan* an Eschenburg und E. Reimarus: »Meine Freunde, die in Deutschland zerstreuet sind, werden hiermit ersucht, diese Subscription anzunehmen und zu befördern.« (LM XIII, 337).

ca. 10. September: L reist »in Angelegenheiten [seiner] Stiefkinder« nach Hamburg; seine Stieftochter Amalie begleitet ihn.

September: *Ernst und Falk. Gespräche für Freymäurer. Wolfenbüttel,* erscheint bei Dieterich in Göttingen. Es enthält nur die ersten drei der fünf Gespräche und ist dem Herzog Ferdinand von Braunschweig gewidmet. – Im Reimarusschen Haus lernt L den Pädagogen Joachim Heinrich Campe (1746-1818) kennen; Verkehr mit Matthias Claudius und J. H. Voß.

September/Anfang Oktober: L läßt *Der nöthigen Antwort ... Erste Folge,* eine Antwort auf das dritte Stück der *Schwächen,* ohne Angabe des Verlagsorts in Hamburg drucken. Die Schrift hatte dem Braunschweigischen Zensor nicht vorgelegen. – Durch eine gefährliche Erkrankung Amalie Königs verzögert sich die Rückreise.

18. Oktober: Rückkehr nach Wolfenbüttel.

20. Oktober: L schickt Karl *Der nöthigen Antwort ... Erste Folge,* Voß könne sie drucken, wenn er wolle. Zum *Nathan* schreibt er: »Es wird nichts weniger als ein satirisches Stück, um den Kampfplatz mit Hohngelächter zu verlassen. Es wird ein so rührendes Stück, als ich nur immer gemacht habe.«

Mitte November: Durch Karls Vermittlung borgt L 300 Taler auf Wechsel von seinem Bekannten Moses Wessely. – Arbeit am *Nathan.*

7. Dezember: L schickt Karl den Anfang des *Nathan*; es ist sein erstes Stück in reimlosen Jamben: »Meine Prose hat mir von jeher mehr Zeit gekostet, als Verse.« Er bittet um einen Probedruckbogen, um den Umfang des Ms. besser abschätzen zu können.

9. Dezember: Elise Reimarus meldet 72 Subskribenten aus Hamburg.

19. Dezember: Der zweite Teil des *Nathan*-Ms. an Karl; Ramler soll, wie beim ersten, metrische Korrekturen anbringen.

21. Dezember: L reist für einige Tage nach Braunschweig.

25. Dezember: Herder meldet aus Weimar 24 Subskribenten. »Wie sehr ich an Ihren Fragmenten und Streitigkeiten Antheil genommen, will und mag ich nicht sagen; ich wünschte nichts, als die Ausgabe des ganzen Werks, begreife

auch nicht, wie es nicht Freunde und Feinde wünschen.« – Er erkundigt sich nach L.s Plänen für die Herausgabe von Volksliedern, wovon er durch den Leipziger Verleger Christian Friedrich Weygand (um 1742-1807) gehört hat: »Freilich ist Wolfenbüttel ein Ort und Leßing der Mann, mich unendlich zu beschämen.«
Der erste Teil seiner eigenen Sammlung war 1778 erschienen.

30. Dezember: L hat das dringend benötigte Geld von Wessely erhalten. Er erkundigt sich nach Karls Sohn, dessen Pate er geworden ist: »Mache, daß er laufen kann, und daß Du einen andern Jungen bekömmst: so nehme ich Dir ihn ab.« (An Karl).

1779

10. Januar: An Herder: L zweifelt, die Reimarus-Schrift jemals vollständig herausgeben zu können: er besitze nicht das ganze Ms., sondern habe es nur bei Leuten gelesen, »die entweder viel zu eifersüchtig, oder viel zu furchtsam damit sind [...]« – Nicht Volkslieder, sondern »Volksgedichte« habe er gesammelt: *Priameln,* kurze Gedichte moralischen Inhalts aus dem 13. und 14. Jhd. und *Bilderreime* des 16. und 17. Jhds. »auf einzeln fliegenden Kupferstichen oder Holzschnitten, satyrischmoralischen, und satyrischpolitischen Inhalts«.

14. Januar: Während eines Aufenthaltes in Braunschweig lernt L den Naturforscher Johann Georg Forster (1754-94) kennen.

15. Januar: An Karl: Die Zahl der Subskriptionen zum *Nathan* ist inzwischen auf 1000 gestiegen. – L schickt Karl einen weiteren Teil des Ms. und fürchtet, da der Text über den geplanten Umfang hinausgewachsen ist, Vorrede und Nachspiel – *Der Derwisch* – weglassen zu müssen.

1. Februar: Weiteres Ms. an Karl. L erhält jeweils die von Ramler und Mendelssohn durchgesehenen Texte mit deren Anmerkungen zurück und schickt sie dann zum Druck an Karl.

13. März: E. Reimarus bittet L um Hilfe gegen die in dem Journal *Schlözers Briefwechsel* erschienene Behauptung, »daß Herr Lessing ohnlängst in Hamburg selbst geäußert haben solle, Reimarus sei der Verfasser der Fragmente«.

16. März: L schickt seinem Bruder die ersten Bogen des fünften Akts und erkundigt sich besorgt nach Berliner Subskribenten: »Am Ende kann ja Voß nicht einmal so viel haben, daß nur die 300 Thaler an M[oses] W[essely] in Leipzig davon bezahlt werden können.« – Vorrede, Nachspiel und eine »Abhandlung über die dramatische Interpunction« sollen nun für einen zweiten Teil oder eine zweite Auflage zurückgestellt werden.

19. März: L will sich »mittelmäßiger Vortheile« wegen »nie wieder auf fünf Monathe zum Sklaven einer dramatischen Arbeit« machen.

30. März: L an Nicolai, der ihm nach monatelangem Schweigen und nur nach einem Besuch, den Karl ihm auf L.s Wunsch abstattete, wieder geschrieben hatte: »Er [Karl] sollte Sie fragen: ob auch Sie, für Ihre Person, die Parthey Ihrer theologischen Bibliothekare wider mich genommen, und mich zur ewigen Vergessenheit verdammt hätten?« Von einer Übersetzung von Thomas Amorys *Life of John Buncle, Esq.*, erster Teil 1756, zweiter 1766, rät er ihm ab. Wenn L den Roman jetzt übersetzte, was er »des darinn enthaltenen Systems« wegen vor zwölf Jahren geplant hatte, würde er es nur tun, um in Anmerkungen zu zeigen, »daß das Arianische System noch unendlich abgeschmakter und lästerlicher [sei], als das orthodoxe«.

Anfang April: L erhält Johann Salomo Semlers (1725-1791) *Beantwortung der Fragmente eines Ungenannten*, das mit dem Anhang eines Anonymus, »Von dem Zwecke Herrn Lessings und seines Ungenannten«, erschienen war. In diesem Anhang nimmt ein Sir Bowling L.s Gleichnis, dem Feuer (des Deismus) müsse Luft gemacht werden, wenn es gelöscht werden solle (*Vom Zwecke Jesu …;* Vorrede, LM XIII, 219), wörtlich und wird dafür in das Irrenhaus (Bedlam) gewiesen.

Mitte April: L vollendet das Ms. zum *Nathan.*

Mitte April: L zweifelt, ob der Druck bis zur Leipziger Ostermesse abgeschlossen werden kann: »[…] denn Du mußt wissen, daß ich mich dem ärgerlichen, mißtrauischen Alter mit großen schnellen Schritten nähere […] mit Semlern will ich vorläufig nur wegen des Anhanges anbinden.« (An Karl)

18. April: An Karl: »Es kann wohl seyn, daß mein Nathan im Ganzen wenig Wirkung thun würde, wenn er auf das Theater käme, welches wohl nie geschehen wird. Genug,

Nathan der Weise.

Ein
Dramatisches Gedicht,
in fünf Aufzügen.

Introite, nam et heic Dii sunt!

APUD GELLIUM.

Von

Gotthold Ephraim Lessing.

1779.

wenn er sich mit Interesse nur lieset, und unter tausend Lesern nur Einer daraus an der Evidenz und Allgemeinheit seiner Religion zweifeln lernt.«

Ende April: *Nathan der Weise. Ein Dramatisches Gedicht, in fünf Aufzügen* erscheint; »Noch kenne ich keinen Ort in Deutschland, wo dieses Stück schon jetzt aufgeführt werden könnte. Aber Heil und Glück dem, wo es zuerst aufgeführt wird.« (Aus der geplanten Vorrede, LM XVI, 445)

März/April: Mehrere Besuche bei den Braunschweiger Freunden.

7. Mai: L nach Braunschweig, um 1000 Exemplare vom *Nathan* in Empfang zu nehmen. Die Zahl der ihm gemeldeten Subskribenten ist auf 1200 gestiegen.

X **12./13. März:** L verschickt die ersten Exemplare (E. Reimarus, Gleim).

14. Mai: An E. Reimarus: L entschuldigt sich, daß er ihren Hilferuf unbeantwortet gelassen und den Gerüchten, die ihren Vater mit dem Fragmentisten identifizieren, nicht entgegengetreten sei: »Der Schubiack *Semmler* ist einzig daran Schuld. Ich bekam sein Geschmiere, eben als ich noch den ganzen 5ten Akt am Nathan zu machen hatte, und ward über die impertinente Professorgans so erbittert, daß ich alle gute Laune [...] darüber verlor.« Er deutet an, er würde den Verfasser nennen, »wenn ich mir einbilden könnte, daß Sie dafür seyn könnten! – Aber ich will es ihm schon indeß auf eine andre Weise eintränken, und ihm ein Briefchen aus Bedlam [Londoner Irrenanstalt] schreiben, daß er an mich denken soll!«

18. Mai: L bedankt sich bei Friedrich Heinrich Jacobi (1743-1819) für »die unterrichtende und gefühlvolle Stunde«, die ihm sein Roman *Woldemar* gemacht habe, mit einem Exemplar des *Nathan,* den er einen »Sohn seines eintretenden Alters, den die Polemik entbinden helfen«, nennt.

25. Mai: An E. Reimarus: »Sobald ich mit Semlern fertig bin, [...] arbeite ich meinen *Frommen Samariter, ein Trauerspiel in 5 Aufzügen, nach der Erfindung des Herrn Jesu Christi,* aus. Der Levit und der Priester werden eine gar brillante Rolle darin spielen.«

Ende Mai: Begeisterte Urteile über den *Nathan* von L.s Freunden: »das beste« (Mendelssohn); »das rührendste« (E. Reimarus) seiner Stücke; »Manneswerk« nennt es Herder.

1. Juni: Herder schickt L die *Fragmente einer apokryphi-*

schen Sibylle über apokalyptische Mysterien von Johann Georg Hamann (1730-88) und bittet, auch in dessen Namen, um die restlichen, i. e. das vierte und fünfte der Freimaurergespräche. Die ersten drei habe Hamann »mit einer Lust und Wohllust gelesen, daß ihm die Mitteilung [der übrigen] wahre Wohltat wäre«.

Mitte Juni, Anfang Juli: L in schlechter gesundheitlicher Verfassung: seit einigen Tagen »bettlägrig und schlimm« (17. 6.), »seit einigen Tagen krank« (28. 6.), »krank die ganze Zeit über« und muß »noch immer alle Tage ein Paar Stunden auf dem Bette zubringen« (22. 7.).

Juni: Karl wird Münzdirektor in Breslau.

18. Juni: Eschenburg besucht L in Wolfenbüttel.

13. August: Theodor König reist der Hinterlassenschaft seiner Mutter wegen nach Wien. L empfiehlt ihn dem einflußreichen T. P. von Gebler: »Vielleicht, daß er [Theodor] auch noch sonst Aussichten hat, die er Ihnen zu entdecken sich die Freyheit nehmen wird.«

August: L nimmt den verarmten Livländer Könemann in sein Haus auf. Könemann, ein Sonderling mit philosophischen Aspirationen, arbeitet an einer Schrift »über die höhere Bestimmung des Menschen«. Mit seinem großen Hund bleibt er fünf Monate bei L.

20. August: L mit seiner Stieftochter Amalie und Könemann auf der Braunschweiger Messe; Verkehr mit Leisewitz, von Kuntzsch und dem Kunsthändler und Lotterieagenten Alexander Daveson.

20. August: F. H. Jacobi bedankt sich überschwenglich für L.s Brief und kündigt für das kommende Frühjahr seinen Besuch in Wolfenbüttel an.

September: Der Gothaer Verlagsbuchhändler Karl Wilhelm Ettinger (1738-1804) besucht L in Wolfenbüttel; er ist bereit, die Schrift des Reimarus zu verlegen, ebenfalls eine zeitweilig von L geplante Ausgabe von Johannes Pauli, *Schimpf und Ernst* (1522). Das erste Unternehmen scheiterte an Elise Reimarus' Widerstand, am zweiten verlor L vermutlich das Interesse.

24. September: L zusammen mit Leisewitz und dem Abt J. F. W. Jerusalem bei Ebert in Braunschweig.

Ende September: Zur Messe erscheint die *Kritische Untersuchung vom Gebrauch der heiligen Schrift unter den alten*

Christen von dem Göttinger Kirchenhistoriker Christian Wilhelm Franz Walch (1726-84), in der u. a. gegen L.s Thesen behauptet wird, bereits in den ersten Jahrhunderten sei die Bibel das Fundament des Glaubens gewesen.

November: L arbeitet an einer Schrift gegen Walch: *Bibliolatrie.* (Die drei erhaltenen Fragmente werden aber erst im Theologischen Nachlaß, 1784, veröffentlicht.) – Gleichzeitig Arbeit an *G. E. Leßings sogenannte Briefe an verschiedene Gottesgelehrten, die an seinen theologischen Streitigkeiten auf eine oder die andere Weise Theil zu nehmen beliebt haben.* Die ebenfalls erst nach seinem Tode gedruckten Stücke richten sich gegen Walch und gegen den Göttinger Theologen Gottfried Less (1736-97).

12. Oktober: L schickt seiner Schwester in Kamenz 30 Taler.

14. Oktober: L wird um ein Gutachten zu dem Plan gebeten, die Bibliothek des Carolinums durch Doubletten der Wolfenbütteler Bibliothek zu vergrößern.

23. Oktober: Im *Wiener Diarium,* und später in anderen, deutschen Zeitungen erscheint die Nachricht, L habe »wegen der Herausgabe einiger Fragmente von der Judenschaft in Amsterdam ein Geschenke von 1000 Ducaten erhalten«. In der folgenden Nummer des *Diariums* wird die Falschmeldung bestätigt, aber alles »was wir bei dieser Gelegenheit zum Lobe des Lessings gesagt haben« auf das feierlichste widerrufen. (D 825, 826).

6. November: An J. H. Campe, der es nicht wagte, seine Begeisterung für den *Nathan* in einer Rezension öffentlich auszusprechen und sich auf einen Brief (30. 8.) beschränkt hatte, schreibt L: »Die Bezeugung Ihres Beyfalls [...] kam mir in einem der Augenblicke, in welchen mir ein solcher Beyfall allmählich anfängt, sehr nöthig zu werden.«

November: An E. Reimarus: »[...] denken Sie mich in meinen Nebenstunden beim *Nero* oder *Samariter* beschäftigt.«

November: Der Leipziger Verleger J. G. I. Breitkopf (1719-94) hatte L eine inkompetente und mit frommer Entrüstung verfaßte *Nathan*-Kritik des Breslauer Arztes Tralles geschickt. L reagiert amüsiert: »Was wir nicht alles erleben! Es fehlt nur noch, daß nächstens ein doctor theologiae über die Dysenterie schreibt.« (An Breitkopf)

Dezember: Der Wiener Zensur wegen läßt L seine Zurückweisung des in Wien ausgestreuten Gerüchts durch Theodor König in Regensburg drucken: »Noch nähere Berichtigung des Mährchens von 1000 Ducaten oder Judas Ischariots dem Zweiten.«

12. Dezember: L erkundigt sich bei Karl, wie Tralles Schrift in Breslau aufgenommen werde: »Nur sein hohes Alter rettet den Mann von einem bunten Tanze, den ich sonst mit ihm verführen würde. – Ich bin jetzt mit: *So genannten Briefen an verschiedene Theologen* [...] beschäftigt. Die erste Verschickung enthält Briefe an den Dr. Walch in Göttingen [...]. Die zweyte wird Briefe an die Herren Leß und Röß [i. e. J. H. Reß] enthalten.«

23. Dezember: L mit Leisewitz und K. A. Schmid bei Eschenburg in Braunschweig.

Ende Dezember: L erkrankt an einem Fieber.

1780

Anfang Januar: L.s Gesundheitszustand verschlechtert sich.

22. Januar: L erkundigt sich besorgt bei E. Reimarus nach dem Befinden ihres Bruders, von dessen Erkrankung er durch Campe erfahren hatte: »Ich weiß nicht welches Mitleid ich itzt mit allen Kranken zu haben anfange [...] Denn selbst bin ich doch eben auch nicht krank; sondern blos, nicht gesund.« – Für die vorsichtige Mißbilligung, mit der seine theologischen Kontroversen in der *Allgem. Dt. Bibliothek* (Hrsg. v. Nicolai) bedacht wurden, hat er nur Verachtung: »[...] wie armselig die Blindschleiche daher gerutscht kömmt.« (An E. Reimarus)

23. Januar: Georg Christoph Lichtenberg (1742-1799), der L zur Mitarbeit an dem *Göttingischen Magazin der Wissenschaften und Litteratur* (seit 1780) aufgefordert hatte, verspricht er seinen Aufsatz *Leben und leben lassen. Ein Projekt für Schriftsteller und Buchhändler.* Die Schrift, vermutlich unter dem Eindruck seines Hamburger Unternehmens mit Bode konzipiert, wird auch jetzt nicht abgeschlossen. – L legt das vierte und fünfte Freimaurergespräch, um die Lichtenberg gebeten hatte, seinem Schreiben bei.

25. Januar: L schickt Herder (auch zur Weitergabe an Hamann) das vierte und fünfte Freimaurergespräch und bittet vor allem um Herders Urteil. Hamann würde er »doch nicht überall verstehen«: »Seine Schriften scheinen als Prüfungen der Herren aufgesetzt zu seyn, die sich für Polyhistores ausgeben.« – Herders *Plastik,* die als viertes *Wäldchen* geplante kritische Schrift zur ästhetischen Literatur, habe er noch immer nicht gelesen: »Die Versatilität des Geistes verliert sich, glaube ich, von seinen Eigenschaften am ersten. Es kostet soviel Arbeit, mich umwälzen zu lassen, daß es kaum mehr der Mühe verlohnt, wenn ich nicht eine geraume Zeit in der neuen Lage wieder verweilen kann.« Und das könne er jetzt, seiner theologischen Händel wegen, nicht.

23. Februar: Dr. Joseph Fließ aus der L bekannten Familie des Berliner Münzunternehmers Ephraim, besucht L in Wolfenbüttel. Er gefällt L, »wäre es auch nur wegen des Gebrauchs, den er von seinem Vermögen macht«. (An Karl) Die Einladung, Fließ nach Italien zu begleiten, lehnt L »wegen des heiligen Kriegs, worin er verwickelt« sei, ab. (D 831).

25. Februar: An Karl: »Dieser Winter ist sehr traurig für mich. Ich falle aus einer Unpäßlichkeit in die andere, deren keine zwar eigentlich tödtlich ist, die mich aber alle an dem Gebrauch meiner Seelenkräfte gleich sehr verhindern.« – Auf Voß' Bitte hat L zur zweiten Auflage von *Das Theater des Herrn Diderot* eine neue Vorrede geschrieben und ihm ebenfalls das vollständige Ms. zur *Erziehung des Menschengeschlechts* geschickt: »Ich kann ja das Ding vollends in die Welt schicken, da ich es nie für meine Arbeit erkennen werde.«

Anfang März: L bei seinen Braunschweiger Freunden, darunter der Obrist Warnstedt.

20. März: Als fünften Teil der Beiträge *Zur Geschichte und Litteratur* plant L, die Schrift von Theophilus Presbyter, *Diversarium artium schedula,* herauszugeben. Einer schwer zu beschaffenden »Abhandlung über die Oelmalerey« wegen kann L seine Vorrede nicht abschließen, und der bereits gedruckte Text bleibt liegen.

26. März: Herzog Karl von Braunschweig stirbt.

Ende April: Zur Ostermesse erscheint bei Voß *Die Erziehung des Menschengeschlechts*; L bezeichnet sich lediglich als Herausgeber.

April: Gleich nach seinem Regierungsantritt läßt Herzog Karl II. Wilhelm Ferdinand den Kunsthändler Alexander Daveson (1755-?) wegen betrügerischer Forderungen an das

Die Erziehung
des
Menschengeschlechts.

Hac omnia inde esse in quibusdam vera, unde in quibusdam falsa sunt.

Augustinus.

Herausgegeben
von
Gotthold Ephraim Lessing.

Berlin, 1780.
Bey Christian Friedrich Voß und Sohn.

Braunschweigische Haus verhaften. L, der seinen jüdischen Freund für unschuldig hält, besucht ihn im Gefängnis und nimmt ihn nach seiner Freilassung bei sich auf.

7. Mai: L verteidigt sich bei E. Reimarus gegen das Gerücht, er sei in seine Stieftochter Amalie verliebt. Sie sei ihm ihrer »häußlichen Tugenden wegen« unentbehrlich, und er zittere vor dem Augenblick, der sie von ihm nehmen werde: »[...] ob ich ihn schon, meines eigenen Nutzens wegen, keinen Augenblick verschieben will.« Er kenne den einzigen, der ihr gefährlich werden könnte und sei durch diesen Zufall in seiner Tugend bestärkt. Die öffentliche Meinung sei ihm gleichgültig. »Von mir ist es [das Publikum] doch nur schon das Schlimmste zu glauben geneigt, und nun erst anzufangen, mich nach seinen Capricen zu richten, würde mir nur eine schwache Seite mehr geben.«

Mai/Juni: Häufige Besuche in Braunschweig. L trifft sich mit seinen Freunden im »Clubb bei Rönckendorffs«, i. e. in dem Rönckendorfschen Hotel d'Angleterre.

1. Juni: F. H. Jacobi kündigt L für Ende Juni seinen Besuch an. Die *Erziehung des Menschengeschlechts* habe er »mit unsäglichem Vergnügen« gelesen; nur daß L »mit Bewunderung« vom *Oberon* gesprochen hätte – Jacobi eiferte ebenso gegen Wieland wie gegen Goethe –, das begreife er nicht. Er hofft, L überreden zu können, mit ihm zu reisen.

13. Juni: L antwortet Jacobi mit höflicher Zurückhaltung; er lädt ihn ein, einige Tage in seinem Haus auszuruhen.

Juni: Der holländische Anatom Petrus Camper besucht L in Wolfenbüttel. – Ernst Theodor Langer (1743-1820), Goethes Studienfreund in Leipzig, arbeitet in der Wolfenbütteler Bibliothek; es scheint, daß er schon jetzt gegründete Hoffnung hatte, L.s Nachfolger zu werden.

15./22. Juni: L erhält den Auftrag, Verzeichnisse von den Doubletten der Bibliothek einzureichen. Er wehrt sich mit Erfolg gegen den Plan, diese Bücher der Universität Helmstedt zu schenken.

5. Juli: In Begleitung seiner jüngeren Halbschwester Helene besucht Jacobi L in Wolfenbüttel.

6. Juli: L erhält von Jacobi Goethes Gedicht »Prometheus« und kommentiert: »Der Gesichtspunkt, aus welchem das Gedicht genommen ist, das ist mein eigener Gesichtspunkt ... Die orthodoxen Begriffe von der Gottheit sind nicht mehr für mich; ich kann sie nicht genießen. Ev και παν! Ich weiß nichts anders.« (D 846). Der Direktor des Dessauer Philanthropin, Christian Heinr. Wolke, unterbricht das Gespräch.

7. Juli: Längeres Gespräch mit Jacobi über den Spinozismus, in dem sich L zur Philosophie des Spinoza bekennt.

9. Juli: Jacobis Abreise nach Hamburg; L begleitet seine Gäste bis Braunschweig, wo er sich einige Tage aufhält. Er lernt bei Leisewitz den Arzt Albrecht Thaer kennen.

17. Juli: A. Thaer und Leisewitz in Wolfenbüttel, L führt sie in die Bibliothek, wo Leisewitz einen durchaus positiven Eindruck von E. T. Langer gewinnt: »[...] gründliche und angenehme Kenntnisse. Selbst Leßing schien mir zu hart von ihm geurtheilet zu haben.« (D 852).

August: Amalie König verbringt ein paar Wochen bei Verwandten ihres Vaters in Eschenweiler.

9. August: L verpflichtet sich, dem Schröderschen Theater in Hamburg gegen ein Honorar von je 50 Louisd'or jährlich zwei Stücke zu liefern.

10. August: Jacobi wieder in Braunschweig; seine Reisegesellschaft schließt jetzt seine beiden Söhne ein, die er von Claudius aus Hamburg abgeholt hat. L trifft ihn im Hause von K. A. Schmid.

12. August: Die Jacobis überreden L zu einer Reise nach Halberstadt; sie bleiben drei Tage bei Gleim.

14. August: Rückreise; L trennt sich in Braunschweig von den Jacobis und fährt allein nach Wolfenbüttel zurück. – Jacobi hat L und Amalie König auf sein Gut Pempelfort bei Düsseldorf eingeladen.

16. September: Von seinem Hamburger Bekannten O. H. Knorr leiht L gegen einen Wechsel 200 Taler.

19.-23. September: L bei seinen Freunden in Braunschweig.

Anfang Oktober: L kündigt E. Reimarus seinen Besuch an und beschwert sich über ihren Neffen, der in Wolfenbüttel war, ohne ihn zu besuchen. »Gewisse Leute sagen, er habe mit allem Fleiße einen Mann nicht besuchen wollen, der so viel Schande auf seinen seligen Grosvater gebracht habe.«

5. Oktober: Reise nach Hamburg. L wohnt bei O. H. Knorr und erneuert alte Bekanntschaften. Freunden fällt seine »Zerstreutheit« auf und eine »Schlafsucht«, die ihn auch plötzlich in Gesellschaft anderer überfällt. – Der Intendant

Friedrich Ludwig Schröder befürchtet, »für's Theater haben wir wenigstens nichts zu erwarten«. (An W. H. von Dalberg, D 897)

18. Oktober: Seiner Stieftochter schreibt L, daß es mit seiner Gesundheit recht gut stehe und er sich »einen fleißigen Winter« verspreche.

29. Oktober: Rückreise nach Wolfenbüttel.

Herbst: Das vierte und fünfte Freimaurergespräch erscheint ohne L.s Wissen und gegen seinen Willen in Frankfurt im Druck.

Anfang November: An E. Reimarus: »So sehr ich nach Hause geeilt: so ungern bin ich angekommen. Denn das Erste, was ich fand, war Ich selbst.«

9. November: L entschlossen, den fünften Teil der Beiträge *Zur Geschichte und Litteratur* abzuschließen, der neben dem *Theophilus Presbyter* seine Fabelabhandlungen bringen soll. – Er bittet Eschenburg um die Komödie *The London Prodigal* (1605, Verf. unbekannt): »Ich soll und soll für das Hamburger Theater etwas machen, und da denke ich, daß ich mit meiner alten Absicht auf dieses Stück am ersten fertig werden will.«

15. November: L befürchtet, daß mit seiner Krankheit »eine Metastasis vorgegangen und sich die Materia peccans völlig von dem Körper auf die Seele geworfen.« – Die Arbeit an dem neuen Drama hat noch nicht angefangen: »Weyhnachten wird kommen, und ich bin noch nicht mit mir einig, ob es eine Komödie oder Tragödie werden soll.« (An E. Reimarus)

November: L häufig im »Clubb bei Rönckendorffs«: zu seinen Gesprächspartnern gehören Leisewitz, Eschenburg, von Kuntzsch, von Warnstedt, Ebert und Schmid.

22. November: von Kuntzsch kann seinen Gästen, darunter L, Leisewitz und Schmid, berichten, L sei vom kursächsischen Gesandten beim Reichstag verklagt.

23. November: Herzog Karl Wilhelm Ferdinand läßt L rufen und teilt ihm mit, sein Gesandter in Regensburg habe gemeldet, »daß nächstens an den Braunschweigischen Hof ein Exitatorium von dem gesammten Corpore Evangelicorum gelangen werde, um [L] als den Herausgeber und Verbreiter des schändlichen Fragments *von dem Zwecke Christi und seiner Jünger* zu verdienter Strafe zu ziehen.« L schreibt weiter an E. Reimarus: »Dieses sagte mir der Herzog auf eine so freundschaftliche und beruhigende Art, daß ich es zu lezt fast bereuet hätte, ihm so gleichgültig und sicher darauf geantwortet zu haben. Wenigstens hätte ich es wohl unterlassen können, ihn ausdrücklich zu bitten, daß er sich meiner in keinem Stücke annehmen solle, sondern in allem, ohne die geringste Rücksicht auf mich, so verfahren möge, wie Er glaube, daß ein deutscher Reichsstand verfahren müsse.« Nicht, daß er gern verfolgt würde, vielmehr sehe er sich als den »Bastart eines großen Herrn, [...] der nicht sagen wollte, wer er sey, und sich lieber wollte unschuldig hängen lassen.« Und vielleicht hoffe auch er, [L], es werde noch jemand rufen: »Richter, seyd ihr des Teufels, daß ihr unsers gnädigen Herrn Bastart wollt hängen lassen? Und weiß ich denn etwa nicht, wessen großen Herrn lieber Bastart ich bin?« (28. 11.).

November: L erhält vom Herzog ein *Gutachten über die dermaligen Religionsbewegungen, besonders der Evangelischen Kirche,* das bei der Vertretung der evangelischen Reichsstände in Regensburg eingereicht worden war. Der Herzog fordert L zu einer schriftlichen Stellungnahme auf. – Aus einem im *Theologischen Nachlaß* erhaltenen Fragment, geht hervor, daß L die »Bewegungen« für nützlich und notwendig hielt, weil sie, wie ein Gärungsprozeß, »zur Aufklärung und zum Wachstum« der Religion beitrügen. (LM XVI, 529)

4. Dezember: An Jacobi, der sein Geheimratsgehalt in München verloren und in literarischen Angelegenheiten um L.s Rat gebeten hatte: »Hängen Sie, lieber Jacobi, ihren Cammeralgeist ganz am Nagel und setzen sich ruhig hin, und vollführen Ihren Woldemar.« – Zu einer Proklamation der Jülich-Clevischen Kirchensynode, die unregelmäßigen Kirchenbesuch unter Strafe stellen wollte: »Gott! die Nichtswürdigen! Sie sind es werth daß sie von dem Pabstthum wieder unterdrückt und Sklaven einer grausamen Inquisition werden!«

Dezember: L beruhigt die über die Nachrichten aus Regensburg erschreckte Elise Reimarus: »Das Wetter hat sich zwar noch nicht verzogen: aber ich habe so viele Ableiter auf meinem Hause [...]« Im übrigen will er seine Antwort auf das *Gutachten* so geben, »daß mir unsre Geistlichkeit wohl von Halse bleiben, und aufhören soll, mich mit den neuen Reformatoren zu verwechseln«. Nur seine dramatischen Pläne seien darüber ins Stocken geraten.

19. Dezember: A. Daveson erhält von L einen an Mendelssohn gerichteten Empfehlungsbrief: »Er will von Ihnen nichts, lieber Moses, als daß Sie ihm den kürzesten und sichersten Weg nach dem Europäischen Lande vorschlagen, wo es weder Christen noch Juden giebt. Ich verliere ihn ungern; aber sobald er glücklich da angelangt ist, bin ich der erste, der ihm folgt.« Er klagt über die Teilnahmslosigkeit, die er jetzt in der Öffentlichkeit findet, »nicht tödtend, doch erstarrend«, und erinnert »an unsere beßern Tage«: »Auch ich war damals ein gesundes schlankes Bäumchen; und bin itzt ein so fauler knorrichter Stamm! Ach lieber Freund! diese Scene ist aus! Gern möchte ich Sie freylich noch einmal sprechen!« – Daveson bleibt in Braunschweig.

22. Dezember: Jacobi wiederholt seine Einladung: er bittet L, mit seiner Stieftochter ein Jahr bei ihm auf seinem Gut Pempelfort zu wohnen.

Ende Dezember: L.s Gesundheitszustand verschlechtert sich: krankhafte Müdigkeit, Schwierigkeit beim Lesen und Schreiben.

1781

Januar: L fast erblindet; er kann nur noch bei starkem Licht und mit einer neuen Brille schreiben. Er läßt sich aus Karl Friedrich Bahrdts (1741-92) *Kirchen- und Ketzer-Almanach aufs Jahr 1781* (anonym, 1780) vorlesen. – Bahrdt, Professor der Theologie in Halle, stand seiner heterodoxen Ansichten wegen selbst im Kreuzfeuer der Kritik. Von L.s theologischen Bemühungen spricht er mit größter Anerkennung.

28. Januar: L fährt zu seinen Freunden nach Braunschweig.

1. Februar: Letzter Brief L.s; er schreibt seiner Stieftochter, er werde die zur Messe, am 5. 2., notwendigen Bestellungen vornehmen. »[...] Ich befinde mich leidlich.«

3. Februar: Im Kreis seiner Freunde erleidet L einen »Stickfluß«; er verliert für einige Zeit die Fähigkeit zu sprechen. In sein Quartier gebracht weigert er sich, einen Arzt rufen zu lassen.

4. Februar: L läßt sich ankleiden und frisieren, um nach Wolfenbüttel zu fahren. Auf Drängen seiner Freunde bleibt er und läßt den herzoglichen Leibarzt Brückmann kommen, der ihn zur Ader läßt.

5. Februar: Vorübergehend bessert sich L.s Zustand; er empfängt Besuche und läßt sich vorlesen. Amalie König ist aus Wolfenbüttel gekommen, um ihn zu pflegen.

15. Februar: Am Morgen empfängt L noch Besucher. Er läßt sich von A. Daveson aus *Schlözers Briefwechsel* vorlesen. Abends erleidet er einen weiteren Anfall; seine letzten Worte gelten seiner Stieftochter: »Sei ruhig, Malchen.« Zwischen sieben und acht Uhr stirbt L, nach Davesons Bericht »entschlossen, ruhig, voll Besinnung bis in den letzten Augenblick«. (D 914).

16. Februar: Der Bildhauer Christian Friedrich Krull (1748-87) nimmt die Totenmaske ab. – Die Obduktion, von Johann Christoph Sommer ausgeführt, ergibt als Todesursache eine durch ungewöhnliche Verknöcherungen der Brustwirbel hervorgerufene »Brustwassersucht«.

20. Februar: Feierliches Begräbnis auf dem Friedhof der Gemeinde St. Magni in Braunschweig.

> »Ich kann nicht sagen, wie mich sein Tod verödet hat; es ist, als ob dem Wanderer alle Sterne untergingen und der dunkle wolkige Himmel bliebe.« (Herder an Gleim).

Literaturverzeichnis

1. Bibliographien, Forschungsberichte, Periodica

Redlich, Carl Christian: Lessing Bibliothek. Berlin: Hempel 1878

Muncker, Franz: Verzeichnis der Drucke von Lessings Schriften. 1747-1919. In: LM XXII, 315-801

Guthke Karl S.: Lessing-Forschung 1932-1962. In: DVjs 38 (1964) Sonderheft 68-169

Gotthold Ephraim Lessing. Hrsg. von G. und S. Bauer. (= Wege der Forschung 211). Darmstadt 1968

Lessing Yearbook. Hrsg. von G. Stern, G. Merkel und J. Glenn. München: Hueber 1969-77

Guthke, Karl S.: Lessing-Literatur 1963-68. In: Lessing Yearbook 1 (1969) 255-264

Goebel, Helmut: Lessing 1954-1960. In: Text und Kritik. Zeitschrift für Literatur 26/27 (1970) 76-79

Schilson, Arno: Gotthold Ephraim Lessing und die Theologie. Zum Stand der Forschung. Vjs. für Theologie und Philosophie 47 (1972)

Seifert, Siegfried: Lessing Bibliographie. Berlin, Weimar: Aufbau 1973

Guthke, Karl S.: Grundlagen der Lessingforschung. Neuere Ergebnisse, Probleme, Aufgaben. In: Wolfenbütteler Studien zur Aufklärung 2 (1975) 10-46

2. Ausgaben

Schrifften. 1.-6. Theil. Berlin: Voss 1753-55

Theatralischer Nachlaß. Hrsg. von Karl Gotthelf Lessing. Berlin: Voß 1784-86

Theologischer Nachlaß. Hrsg. von Karl Gotthelf Lessing. Berlin: Voß 1784

Sämtliche Schriften. Hrsg. von Karl Gotthelf Lessing, Johann Joachim Eschenburg und Friedrich Nicolai. 1.-31. Theil. Berlin: Voss (Nicolai) 1793-1825

Sämtliche Schriften. Hrsg. von Karl Lachmann. 13 Bde. Berlin: Voss 1838-40

Werke. 1.-20. Theil. Berlin: Hempel 1868-79

Sämtliche Schriften. Hrsg. von Karl Lachmann. 3. aufs neue durchgesehene und vermehrte Auflage besorgt durch Franz Muncker. 23 Bde. Stuttgart, Leipzig, Berlin: Göschen (de Gruyter) 1886-1924

Werke. Vollständige Ausgabe in 25 Teilen. Hrsg. mit Einleitungen und Anmerkungen sowie einem Gesamtregister versehen von Julius Petersen und Waldemar von Olshausen [u. a.] Berlin: Bong [1925-35]
Ausgewählte Werke. Hrsg. von Wolfgang Stammler. 2 Bde. München: Hanser 1950
Gesammelte Werke. Hrsg. von Paul Rilla. 10 Bde. Berlin: Aufbau 1954-58
Werke. In 6 Bdn. Hrsg. von Gerhard Fricke. Leipzig: Reclam 1955
Werke. Hrsg. von Kurt Wölfel. 3 Bde. Frankfurt/M: Insel 1967
Werke. Hrsg. von Herbert G. Göpfert. 8 Bde. München: Hanser 1970-78

3. Gesamtdarstellungen, Biographisches

Lessing, Karl Gotthelf: Gotthold Ephraim Lessings Leben, nebst seinem noch übrigen litterarischen Nachlasse. Berlin: Voss 1793
Danzel, Th. W. u. G. E. Guhrauer: Gotthold Ephraim Lessing – Sein Leben und seine Werke. Berlin: Hoffmann [2]1880/81
Düntzer, Heinrich: Lessings Leben. Leipzig: Wartig 1882
Schmidt, Erich: Lessing. Geschichte seines Lebens und seiner Schriften. Berlin: Weidmann 1899
Mehring, Franz: Die Lessing-Legende. Eine Rettung. Nebst einem Anhang über den historischen Materialismus. Stuttgart: Dietz 1893
Oehlke, Waldemar: Lessing und seine Zeit. München: Beck 1919
Witkowski, Georg: Lessing. Leipzig: Velhagen & Klasing 1921
Wiese, Benno von: Lessing. Dichtung, Aesthetik, Philosophie. Leipzig: Quelle & Meyer 1931
Garland, H. B.: Lessing. The Founder of Modern German Literature. Cambridge 1937
Mann, Otto: Lessing. Sein und Leistung. Hamburg: von Schroeder 1949
Rilla, Paul: ›Lessing und sein Zeitalter‹. In: Gotthold Ephraim Lessing: Gesammelte Werke. Bd. 10. Berlin, Weimar: Aufbau 1958
Drews, Wolfgang: Gotthold Ephraim Lessing in Selbstzeugnissen und Bilddokumenten. (= Rowohlts Monographien 75) Hamburg: Rowohlt 1962
Ritzel, Wolfgang: Gotthold Ephraim Lessing. Stuttgart, Berlin, Köln, Mainz: Kohlhammer 1966
Guthke, Karl S. u. Heinrich Schneider: Gotthold Ephraim Lessing. Stuttgart: Metzler 1967 (= Realienbücher für Germanisten 65)
Lessings Leben und Werk in Daten und Bildern. Hrsg. von Kurt Wölfel. Frankfurt: Insel 1967

4. Zur Rezeptionsgeschichte

Braun, Julius W.: Lessing im Urtheile seiner Zeitgenossen. Berlin: Stahn 1884-97

Biedermann, Flodoard Freiherr von: Gotthold Ephraim Lessings Gespräche nebst sonstigen Zeugnissen aus seinem Umgang. Berlin: Propyläen 1924

Steinmetz, Horst: Lessing – ein unpoetischer Dichter. Dokumente aus 3 Jahrhunderten zur Wirkungsgeschichte Lessings in Deutschland. Frankfurt/M, Bonn: Athenäum 1969

Daunicht, Richard: Lessing im Gespräch. Berichte u. Urteile von Freunden und Zeitgenossen. München: Fink 1971

Dvoretzky, Edward: Lessing. Dokumente zur Wirkungsgeschichte 1755-1968 (zwei Teile) (= Göppinger Arbeiten zur Germanistik Bd. 38). Göppingen: Kümmerle 1971

Mayer, Hans: Lessing, Mitwelt und Nachwelt. Eine Rede. In: Sinn und Form 6 (1954) 5-33

Demetz, Peter: Die Folgenlosigkeit Lessings. In: Merkur 25 (1971) 727-741

Lützeler: Paul Michael: Die marxistische Lessing-Rezeption – Darstellung und Kritik am Beispiel von Mehring und Lukács. In: Lessing Yearbook 3 (1971) 173-193

Lützeler, Paul Michael: Die marxistische Lessing-Rezeption (II) – Darstellung und Kritik am Beispiel der Emilia Galotti-Interpretation in der DDR. In: Lessing Yearbook 8 (1976) 42-60

Grimm, Gunter: Rezeptionsforschung als Ideologiekritik. Aspekte zur Rezeption Lessings in Deutschland. In: Festschr. für Gerhard Storz. Frankfurt: Athenäum (1973) 115-150

5. Dramatik

Brüggemann, Fritz: Lessings Bürgerdramen und der Subjektivismus als Problem. Psychogenetische Untersuchung. In: Jahrbuch des Freien Deutschen Hochstifts. Frankfurt a. M. (1926) 69-110

Clivio, Josef: Lessing und das Problem der Tragödie. Zürich 1928

Nolte, Fred O.: Lessing and the bourgeois Drama. In: JEGP (1932) 66-83

Heitner, Robert R.: Lessing's Manipulation of a single Comic Theme. In: Modern Language Quarterly 18 (1957) 183-198

Guthke, Karl S.: Die Auseinandersetzung um das Tragikomische und die Tragikomödie in der Ästhetik der deutschen Aufklärung. In: Jb für Ästhetik und allgemeine Kunstwissenschaft 6 (1961) 114-138

Daunicht, Richard: Die Entstehung des bürgerlichen Trauerspiels in

Deutschland. (= Quellen u. Forschungen zur Sprach- u. Kulturgesch. der german. Völker. N.F.8.). Berlin: de Gruyter 1963

Hinck, Walter: Das deutsche Lustspiel des 17. und 18. Jahrhunderts und die italienische Komödie. Comedia dell'arte u. Théâtre italien. (= Germanist. Abhandlgn. 8.). Stuttgart: Metzler 1965

Wierlacher, Alois: Das bürgerliche Drama. Seine theoret. Begründung im 18. Jh. München: Fink 1968

Hillen, Gerd: Ideologie und Humanität in Lessings Dramen. In: Lessing Yearbook 1 (1969) 150-161

Durzak, Manfred: Poesie und Ratio. 4 Lessing-Studien. (= Schriften zur Literatur 14). Bad Homburg: Athenäum 1970

Frieß, Ursula: ›Verführung ist die wahre Gewalt‹. Zur Politisierung eines dramatischen Motivs in Lessings bürgerlichen Trauerspielen. In: Jean Paul Jb. 6 (1971) 102-130

Steinmetz, Horst: Aufklärung und Tragödie. Lessings Tragödien vor dem Hintergrund des Trauerspielmodells der Aufklärung. In: Amsterdamer Beiträge zur neueren Germanistik 1 (1972) 3-41

Schröder, Jürgen: Gotthold Ephraim Lessing. Sprache und Drama. München: Fink 1972

Barner, Wilfried: Produktive Rezeption. Lessing und die Tragödien Senecas. München: Beck 1973

Seeba, Hinrich C.: Die Liebe zur Sache. Öffentliches und privates Interesse in Lessings Dramen. Tübingen: Niemeyer 1973

Neuhaus-Koch, Ariane: G. E. Lessing. Die Sozialstrukturen in seinen Dramen. (= Abhandlg. zur Kunst-, Musik- und Literaturwissenschaft 245) Bonn: Bouvier 1977

a) Frühe Dramen

Fricke, Gerhard: Bemerkungen zu Lessings ›Freigeist‹ und ›Miß Sara Sampson‹. In: Festschr. für Josef Quint. Bonn 1964; S. 83-120 (Erstdruck in: Studien zur dt. Sprache und Lit. Bd. 3. Istanbul 1956; S. 30-66)

Brown, F. Andrew: The Conversion of Lessings ›Freygeist‹. In: JEGP 56 (1957) 186-202

Cases, Cesare: Über Lessings ›Freigeist‹. In: Festschr. für Georg Lukács. Neuwied, Berlin 1965; S. 374-391

Guthke, Karl S.: Lessings Problemkomödie ›Die Juden‹. In: Festschr. für Hermann Meyer. Tübingen: Niemeyer 1976; S. 122-134

b) Miss Sara Sampson

Bornkamm, Heinrich: Die innere Handlung in Lessings ›Miß Sara Sampson‹. In: Euphorion 51 (1957) 385-396

Ziolkowski, Theodore: Language and Mimetic Action in Lessing's ›Miß Sara Sampson‹. In: Germanic Review 40 (1965) 261-276

Durzak, Manfred: Äußere und innere Handlung in ›Miß Sara Samp-

son‹. Zur ästhet. Geschlossenheit von Lessings Trauerspiel. In: DVjs 44 (1970) 47-63
Eibl, Karl: Gotthold Ephraim Lessing: Miss Sara Sampson. Ein bürgerliches Trauerspiel. (= Commentatio 2). Frankfurt: Athenäum 1971
Peitsch, Helmut: Private Humanität und bürgerlicher Existenzkampf. Lessings ›Miß Sara Sampson‹. In: Literatur der bürgerlichen Emanzipation im 18. Jhd. Kronberg: Scriptor 1973; S. 179-92
Scott, Alison: The role of Mellefont in Lessing's Miss Sara Sampson. In: German Quarterly 47 (1947) 394-408
Mauser, Wolfram: Lessings Miss Sara Sampson. Bürgerliches Trauerspiel als Ausdruck innerbürgerlichen Konflikts. In: Lessing Yearbook 7 (1975) 7-27

c) Philotas

Vincenti, L.: Lessings ›Philotas‹. (übers. von F. Märtin). In: Gotthold Ephraim Lessing. (= Wege der Forschung 211). Darmstadt 1968; S. 196-213
Leeuwe, Hans H. J. de: Lessings ›Philotas‹. Eine Deutung. In: Neophilologus 47 (1963) 34-40
Wiedemann, Conrad: Ein schönes Ungeheuer. Zur Deutung von Lessings Einakter ›Philotas‹. In: GRM N.F. 17 (1967) 381-397

d) Minna von Barnhelm

Fricke, Gerhard: Lessings ›Minna von Barnhelm‹. Eine Interpretation. In: Zeitschrift für Deutschkunde (1939) 273-292
Staiger, Emil: Lessings ›Minna von Barnhelm‹. In: Festgabe für Theophil Spoerri. Zürich 1950; S. 89-111
Cohn, Hilde D.: Die beiden Schwierigen im deutschen Lustspiel: Lessing, ›Minna von Barnhelm‹ – Hofmannsthal, ›Der Schwierige‹. In: Monatshefte für deutschen Unterricht 44 (1952) 257-269
Lukács, Georg: ›Minna von Barnhelm‹. In: Akzente 11 (1964) 176-191
Martini, Fritz: Riccaut, die Sprache und das Spiel in Lessings Lustspiel ›Minna von Barnhelm‹. In: Formenwandel. Festschr. für Paul Böckmann. Hamburg 1964; S. 193-235
Michael, Wolfgang F.: Tellheim eine Lustspielfigur. In: DVjs 39 (1965) 207-212
Arntzen, Helmut: Die Komödie des Individuums. Lessings ›Minna von Barnhelm‹. In: H. Arntzen: Die ernste Komödie. Das dt. Lustspiel von Lessing bis Kleist. (= Sammlung Dialog 23). München 1968; S. 25-45
Schröder, Jürgen: Das parabolische Geschehen der ›Minna von Barnhelm‹. In: DVjs 43 (1969) 222-259

Schröder, Jürgen: Minna von Barnhelm. Ästhetische Struktur und »Sprache des Herzens«. In: Lessing Yearbook 3 (1971) 84-107
Michelsen, Peter: Die Verbergung der Kunst. Über die Exposition in Lessings ›Minna von Barnhelm‹. In: Jb. d. dt. Schillergesell. 17 (1973) 192-252
Smith, Martin E.: Tellheims Wandlung – eine dichterische Gestaltung von Lessings Mitleidsprinzip. In: Acta Germanica 7 (1973) 39-57
Anton, Herbert: ›Minna von Barnhelm‹ und Hochzeiten der Philologie und Philosophie. In: Neue Hefte für Philosophie 4 (1973) 74-102
Steinmetz, Horst: ›Minna von Barnhelm‹ oder die Schwierigkeit, ein Lustspiel zu verstehen. In: Festschr. für Hermann Meyer. Tübingen: Niemeyer 1976; S. 135-153

e) Emilia Galotti

Weigand, Hermann J.: Warum stirbt Emilia Galotti? In: JEGP 28 (1929) 467-481
Steinhauer, Harry: The Guilt of Emilia Galotti. In: JEGP 48 (1949) 173-185
Heitner, Robert R.: ›Emilia Galotti‹: An Indictment of bourgeois Passivity. In: JEGP 52 (1953) 480-490
Stahl, Ernest L.: Lessing. Emilia Galotti. In: Das deutsche Drama vom Barock bis zur Gegenwart. Interpretationen. Hrsg. von Benno von Wiese. 1. Düsseldorf 1958; S. 101-112
Angress, R. K.: The Generations in ›Emilia Galotti‹. In: Germanic Review 43 (1968) 15-23
Durzak, Manfred: Das Gesellschaftsbild in Lessings ›Emilia Galotti‹. In: Lessing Yearbook 1 (1969) 60-87
Weber, Peter: Das Menschenbild des bürgerlichen Trauerspiels. Entstehung und Funktion von Lessings ›Miß Sara Sampson‹. (= Germanistische Studien). Berlin: Rütten & Loening 1970
Wessell, Leonard P.: The function of Odoardo in Lessing's Emilia Galotti. In: Germanic Review 47 (1972) 243-58
Ryder, Frank G.: Emilia Galotti. In: German Quarterly 45 (1972) 329-347
Labroisse, Gerd: Emilia Galottis Wollen und Sollen. In: Neoph. 56 (1972) 311-323
Müller, Klaus-Detlef: Das Erbe der Komödie im bürgerlichen Trauerspiel. Lessings Emilia Galotti und die commedia dell'arte. In: DVjs 46 (1972) 28-60
Wierlacher, Alois: Das Haus der Freude oder Warum stirbt Emilia Galotti. In: Lessing Yearbook 5 (1973) 147-162
Desch, Joachim: Emilia Galotti – a victim of misconceived morality. In: Trivium 9 (1974) 88-99

Metzger, Michael M.: Soziale und dramatische Struktur in Lessings ›Emilia Galotti‹. In: Akten des V. Internat. Germ.-Kongr. (= Jb. für Internat. Germ. Reihe A. Bd. 2). Bern: Lang 1976; S. 210-216

f) Nathan der Weise

Atkins, Stuart: The Parable of the Rings in Lessing's ›Nathan der Weise‹. In: Germanic Review 26 (1951) 259-267

Rohrmoser, Günter: Lessing. Nathan der Weise. In: Das deutsche Drama vom Barock bis zur Gegenwart. Interpretationen. Hrsg. von Benno von Wiese. Düsseldorf 1958; S. 113-126

Politzer, Heinz: Lessings Parabel von den drei Ringen. In: German Quarterly 31 (1958), 161-177

Demetz, Peter: Gotthold Ephraim Lessing. Nathan der Weise. Vollst. Text. Dokumentation. (= Dichtung u. Wirklichkeit 25). Frankfurt/M., Berlin: Ullstein 1966

Daemmrich, Horst S.: The Incest Motif In Lessing's ›Nathan der Weise‹ and Schiller's ›Braut von Messina‹. In: Germanic Review 42 (1967) 184-196

Friedrich, Wolf-Hartmut: Menander redivivus. Zur Wiedererkennung im ›Nathan‹. In: Euphorion 64 (1970) 167-180

Müller, Joachim: Zur Dialogstruktur und Sprachfiguration in Lessings Nathan-Drama. In: Sprachkunst 1 (1970) 42-69

Wernsing, Armin Volkmar: Nathan der Spieler. Über den Sinn von Spiel in Lessings ›Nathan der Weise‹. In: Wirkendes Wort 20 (1970) 52-59

Hernadi, Paul: Nathan der Bürger: Lessings Mythos vom aufgeklärten Kaufmann. In: Lessings Yearbook 3 (1971) 151-159

Batley, E. M.: Lessing's Nathan der Weise: The transcending of reason in dramatic motivation. In: Publications of the English Goethe Society 42 (1971/72) 1-36

Heydemann, Klaus: Gesinnung und Tat. Zu Lessings Nathan der Weise. In: Lessing Yearbook 7 (1975) 69-104

6. Kritik und Theorie

Robertson, J. G.: Lessing's Dramatic Theory. Being an Introduction to & Commentary on his Hamburgische Dramaturgie. Cambridge 1939

Kommerell, Max: Lessing und Aristoteles. Untersuchung über die Theorie der Tragödie. (= Frankfurter wissenschaftl. Beiträge. Kulturwissenschaftl. Reihe 2). Frankfurt a. M.: Klostermann 1940

Nolte, Fred O.: Lessing's ›Laokoon‹. Lancaster/Pa 1940

Schadewaldt, Wolfgang: Furcht und Mitleid? Zu Lessings Deutung des Aristotelischen Tragödiensatzes. In: DVjs 30 (1956) 137-140
Steinmetz, Horst: Der Kritiker Lessing. Zu Form u. Methode der ›Hamburgischen Dramaturgie‹. In: Neophilologus 52 (1968) 30-48
Feinäugle, Norbert W.: Lessings Streitschriften. Überlegungen zu Wesen u. Methode der liter. Polemik. In: Lessing Yearbook 1 (1969) 126-149
Bender, Wolfgang: Zu Lessings frühen kritisch-ästhetischen Schriften. In: Zeitschrift für Deutsche Philologie 90 (1971) 161-186
Rudowski, Victor A.: Lessing's aesthetica in nuce. An Analysis of the May 26, 1769, Letter to Nicolai. (= University of North Carolina Studies in the Germanic Languages and Literatures 69). Chapel Hill 1971
Göbel, Helmut: Bild und Sprache bei Lessing. München: Fink 1971
McInnes, Edward: Lessing's ›Hamburgische Dramaturgie‹ and the theory of the drama in the nineteenth century. In: Orbis litterarum 28 (1973) 293-318
Meyer, Reinhard: ›Hamburgische Dramaturgie‹ und ›Emilia Galotti‹. Studie zu einer Methodik des wissenschaftlichen Zitierens entwicäkelt am Problem des Verhältnisses von Dramentheorie und Trauerspielpraxis bei Lessing. Wiesbaden: Humanitas 1973
Grimm, Reinhold: Lessing – ein Vorläufer Brechts? (Teil I) In: Lessing Yearbook 6 (1974) 36-58

7. Theologie, Philosophie

Loofs, Friedrich: Lessings Stellung zum Christentum. Halle a. d. S.: Waisenhaus 1910
Fittbogen, Gottfried: Die Religion Lessings. Leipzig: Mayer & Müller 1923
Haug, Martin: Entwicklung und Offenbarung bei Lessing. Gütersloh: Bertelsmann 1928
Aner, Karl: Die Theologie der Lessingzeit. Halle/S.: Niemeyer 1929
Leisegang, Hans: Lessings Weltanschauung. Leipzig: Meiner 1931
Waller, Martha: Lessings Erziehung des Menschengeschlechts. Interpretation u. Darstellg. ihres rationalen u. irrationalen Gehaltes. Eine Auseinandersetzung mit der Lessingforschung. (= Germanische Studien 160.). Berlin: Ebering 1935
Thielicke, Helmut: Vernunft und Offenbarung. Eine Studie über die Religionsphilosophie Lessings. Gütersloh: Bertelsmann 1936; 3. Aufl. u. d. T.: Vernunft, Offenbarung und Existenz. Gütersloh: Bertelsmann 1957
Schneider, Johannes: Lessings Stellung zur Theologie vor der Heraus-

gabe der ›Wolfenbüttler Fragmente‹. 's-Gravenhage: Uitgeverij Excelsior 1953
Flajole, Edward S.: Lessing's Retrieval of lost Truths. In: Publications of the Modern Language Association of America 74 (1959) 52-66
Pons, Georges: Gotthold Ephraim Lessing et le Christianisme. (= Germanica 5.) Paris: Didier 1964
Schultze, Harald: Lessings Toleranzbegriff im Zusammenhang der Toleranzdebatte in der deutschen Theologie des 18. Jahrhunderts. Jena 1964
Allison, Henry Edward: Lessing and the Enlightenment. His Philosophy of Religion and its Relation to eighteenth Century Thought. Ann Arbor 1966
Wesell, Leonard P.: The Problem of Lessing's Theology: A Prolegomenon to a New Approach. In: Lessing Yearbook 4 (1972) 94-121
Bothe, Bernd: Glauben und Erkennen. Studie zur Religionsphilosophie Lessings. (= Monographien zur philosophischen Forschung 75). Meisenheim: Hain 1972
Pelters, Wilm: Lessings Standort. Sinndeutung der Gedichte als Kern seines Denkens. (= Literatur und Geschichte 4). Heidelberg: Stiehm 1972
Schilson, Arno: Geschichte im Horizont der Vorsehung. G. E. Lessings Beitrag zu einer Theologie der Geschichte. (= Tübinger theologische Studien 3). Mainz: Grünewald 1974
Bohnen, Klaus: Geist und Buchstabe. Zum Prinzip des kritischen Verfahrens in Lessings literarästhetischen und theologischen Schriften. (= Kölner germanistische Studien 10). Köln, Wien: Böhlau 1974
Schneider, Johannes: Lessings Frage nach der Erkenntnismöglichkeit der Religion. In: Wolfenbütteler Studien zur Aufklärung 2 (1975) 137-147
Altmann, Alexander: Lessings Glaube an die Seelenwanderung. In: Lessing Yearbook 8 (1976) 7-41
Hillen, Gerd: Lessings theologische Schriften im Zusammenhang seines Werks. In: Lessing in heutiger Sicht. Bremen, Wolfenbüttel: Jacobi 1977
Nölle, Volker: Subjektivität und Wirklichkeit in Lessings dramatischem und theologischem Werk. (= Philologische Studien und Quellen 87) Berlin: Schmidt 1977
Bollacher, Martin: Vernunft und Geschichte. Untersuchungen zum Problem religiöser Aufklärung in Lessings Spätschriften. (Studien zur Dt. Literatur 56) Tübingen: Niemeyer 1978

Personenregister

Register der erwähnten Werke Lessings